Glimpsing

the Unicorn

Glimpsing the Unicorn

Betty Tindal

The Book Guild Ltd

First published in Great Britain in 2017 by
The Book Guild Ltd
9 Priory Business Park
Wistow Road, Kibworth
Leicestershire, LE8 0RX
Freephone: 0800 999 2982
www.bookguild.co.uk
Email: info@bookguild.co.uk
Twitter: @bookguild

Typeset in Minion Pro

Printed and bound in Great Britain by CPI Group (UK) Ltd, Croydon, CR0 4YY

ISBN 978 1911320 920

British Library Cataloguing in Publication Data.
A catalogue record for this book is available from the British Library.

For Jimmie and Elizabeth

Contents

Acknowledgements

I have greatly valued the help and support of the 'Dumfries Writers' over the years and the generous support and advice of Liz Niven, Diane Anderson from Education Scotland, Jenny Brown and Adrian Searle at the 'Big Pitch', my family including my niece Ruth, and to Tom Pow for his unstinting help and encouragement.

Part of this work won the Janetta Bowie Memorial Chalice, gifted by the Scottish Association of Writers (SAW).

Glimpsing the Unicorn

A Memoir (Betty Tindal, aged 6–16)

Glimpsin the Unicorn

In ma hidey-hole
in ablow the table,
Ah'd nae inklin.
The first Ah kent wis seein
yon queer twistit horn.
Somewey Ah felt nae fear;
lik as if ma Granny
hid come back,
an happit me roon
wi her saft grey shawl.
Wee blinks o licht
moved ower the sides
o ma table-cloot tent,
as the Unicorn noddit his heid.

Seiven, sax, five, fower, three, twae, ane.
An syne he wis awa;
leavin ahint a gliff o simmer hey fields,
yellow-rattle an buttercups;
an only twin tracks doon ma cheeks
tae show hoo sair Ah'd bin greetin.

Part 1

The move to Burnfoot and the death of Granny

Arrival

Arnprior, Kippen, Cauldhame, Spout, Ling Hill, Loup o Fintry, Burnfoot; here I am, learning this landscape. Upland bog, treeless and barren, sphagnum moss and peat beside a little-used track, which was probably once an old peat road. Warm rain is falling on a windless afternoon, rippling the white tufts of cotton grass. Little lochans gleam with free water, and at their edges colours show, of local stone and earth as dark as treacle. Here jewel plants have their feet in water; my sister helps me name them – Grass of Parnasus, starry wands of Bog Asphodel, Lousewort, Red Bartsia and in front of drifts of Ragged Robin, the small blue flowers of Butterwort push up centrally from their pale green leaf-stars.

Here and there a few granite outcrops show with an occasional glacial erratic boulder. The past lingers here mostly unseen. There is a clue though to previous cultivation in the ploughing guide, the single tree on Endrick's bank below the house. Here there is an old dry-stane dyke sheltering the homestead, enclosing it from the wider landscape, the vast wilderness where moor meets hill and the River Endrick has its source. Only a whaup heralds our arrival. Yet every grass in our new meadow, every moss and heather clump on Ling Hill, every lichen-covered stone, whispers a richness that our hearts will come to know.

Parachutes and Panniers

At the start, though I wouldnae hae admitted it, I wis really scared o Scottie. When my dad telt me that this hairy beast was tae be ma transport tae the scuil, I had tae gae oot an hae a bit think aboot whit this meant. I could see that I couldnae ride him like a wee Sheltie. He wis a hill garron, a deer pownie, no even oor ain. He belanged tae Todholes, the ferm my dad worked for, a rough lookin cratur that seemed to hae come wi the new job.

Why wis my sister no scared at the thocht? Mind, Mary wis a guid bittie auler, fower years, practically a teenager, an grown up. Did you get braver as you grew auler?

'*Weel it's either that or walkin*,' said Dad, '*an ye'll fin it's a gey lang wey on Shank's Pony*.'

Sittin on the dyke I got up my courage bi ha'in a wee blaw on my moothie, as I whiles did. This helped me when I hid a problem. But I still couldnae get doon an gae nearhaun him. Gradually hooever his curiosity got the better o him an he edged ower. I raxed doon and pu'ed a puckle grass frae the back o the dyke an held it oot tae him. He cam nae nearer, but stretched oot his neck tae accept the titbit. My hairt fluttered when I felt his soft lips. He crunched awa at it regairdin me solemnly frae lang-lashed een. I sat like a stukie waitin, and nearly fell aff the dyke when he nickered as if tae thank me. He seemed tae hae come tae mak freens an I stretched oot my haun an scairted him atween his lugs. Then I jumped doon an terror returned, as he loomed ower me. Aifter aw I wis only six, but it's impossible no tae trust somebody wi een like thon. This wis OK, I could haunnle this, mibbe I could gae tae the scuil on him aifter aw.

However there were ither things needin attention. My dad wis a bit o a hunter-gatherer I think noo, lookin back. He hid gaen up his work as a shepherd tae be nearer tae scuils when some o the bairns were wee, but I cam at the tail-en o the family, the 'powk-shakins', an he thocht that, at amost six, I wis big enough noo tae traivel further tae the scuil.

We were tae leeve in an auld fairmhoose an steadin ca'd Burnfoot, juist north o the Endrick watter. The shepherd's cottage wis derelict an since the fairmer noo leeved nearer haun tae a main road we were able tae hae the fairmhoose as it wis lying empty. The hoose wis stane built but hadnae ony power, plumbing or phone lines. We thocht naething o this, being content wi oil lamps an oor battery radio. Oor nearest neebours leeved three miles awa, roon the shooder o the hill, nae made-up road, at Cringate, an we couldnae even see smoke frae onybody's chimney.

Only yesterday oor flittin hid come bi cairt ower the auld drove-road frae Kippen an afore ower long oor bits and pieces were settled roon aboot us. This upheaval hid lasted mair than ae day noo an we were aw gey weary. Mary an I hid tramped a lang wey, as the loaded cairt wis as muckle as the horse could manage, withoot us addin tae his burden. Add tae this that we'd slept on a shake-doon the nicht afore the flittin in readiness fir an early start in the morning. Then starvin hungry an still wi the animals tae be seen tae, we hid left mum tae cope wi a strange grate an helped oor dad oot-o-doors. Mum wis expected tae turn oot some sort o meal, an aw this on a strange range, an wis prepared as she ayeweys seemed to be, wi kindlers at the ready, an soup that juist needed heatin up. Then aifter oor meal we settled doon fir anither nicht's sleep on a shakedoon.

The next day the real work begood. My parents soon hid the place feelin lik hame, but dad hid tae dae a lot tae mak guid the damage caused bi neglect roond the policies, especially needin tae repair the dyke roond the 'twinnie parkie' to get ready fir the lambing season. This is the auld bit rhyme he taught tae me so that I would ayeways mind how it wis done:

Never ane abune ane
but ane abune twa
pin weel an pack weel
an ye'll hae a guid wa

Dry-stane dykes formed mony o oor 'mairches'. They were built wanting mortar which allowed a bit o give, followin the contours and changes o the land. They usually lasted a lang time, but needed tae be kept in order if stock hid spilt them. They hid lots of fit-hauds fir mosses an lichens, as weel as hidey-holes fir spiders an lots o ither wee beasties. Ilka dyke hid its ain weasel an whiles the carcass o a hapless rabbit that hid been dragged in aboot. These boundaries hid obviously been significant through the ages: there were 'spirit holes' that were intentional holes left in them whiles so that 'ley lines' werenae interrupted, an views across tae the 'auld stanes' were left extant. In some dykes bottles could be found, if ye lookit hard enough, in the hairtin, which held the names o earlier builders. I'm shair I wisnae muckle help tae ma dad really. But it wis interesting tae see him work as if he'd aye kent how tae dae that job, an onywey it keepit me oot o mum's road I suppose, wi my constant 'ask ask askin', bein a 'speirin kin o bairn'.

Mum hid a lot tae dae as weel, tae get things tae her likin inside the hoose, an oot. The hens were hers tae look aifter, but weel worthwhile. We fed them shell grit that hid wee tiny shells in, if you lookit through a haunfu. Mum gaed them Kerswood spice in their hot mash in the winter an that keepit the eggs comin in the cauld months. To begin wi we hadnae very mony, juist a wheen Rhode Island Reds, bit she set a clocker an hatched some chickens to fetch up the numbers so that she could cull some o the auler hens when they wir wanted fir the pot. Then she'd hae them 'scuddy' across her lap as she rid them o their feathers. The new anes were Leghorns as she'd got a settin o eggs frae somebody or ither. They were aw locked up ilka nicht tae keep them safe frae vermin; foxes, weasels an the like.

Water wis fetched frae a spring which hid a cast iron runnel attached tae it so that we could pit a bucket on the stane slab in alow, an get oor lovely fresh water. Here we cleaned pots an pans wi a scourer made o tichtly wrappit heather stems.

Mum even started tae stukie the sides o the lang flagged passageway in her bonny patterns o swirls an dashes. This was something she enjoyed daein, an did regularly to keep it lookin guid despite very few fowk ivver seein it. When we quizzed her aboot this she said it wis something, juist fir hersel, takin intae account her Celtic ancestry. She maintained that the patterns were frae times lang past and were needfu as they kept evil spirits frae crossin ower the door-sill.

We liked fine tae see her aproned bahoochie creepin backwards oot the lobby as it meant that her mair pressin tasks were feeneshed and she had a bit o time for funning wi us.She could be persuaded tae help us mak stilts frae empty treacle tins and a length o string, or hae a jaunt doon tae the wee lochan tae see the jeelly eegeries if the season wis richt fir the coortin puddocks. Sometimes she'd let us help mak a scone on the girdle if the fire was OK and we'd get ane wi a lick o butter on't tae keep hunger at bay till suppertime.

Soon the familiar oilcloth wis fitted, bi brass corners, tae the kitchen table, an afore lang Mum got uised tae the new range. She could cook aw sorts in the oven, an she put the girdle tae regular guid uise as weel, as this wis oor source o bannocks an scones. We, afcoorse, hidnae a source o shop-bread, except whiles, frae the van. The range had a swey an cleeks hinging ower the fire, so that the height o the pot or girdle could be chainged, depending on whether ye wanted a simmer or a fast bile ; an it had an oven at ae side. The girdle wis a flat iron plate wi a hannle curving ower it. Mum liked to mak oatcakes an got Dad tae mak her a toaster, that she'd hing ontae the front bars o the range an there the cakes got curled at the edges, an were scrumptious an nutty.

Ane o the ither things, as weel as the pownie, I hid to get uised tae wis ha'n oor ain coo. We actually acquired twae coos an a calf: the essential milker an a 'coo-wi-follower'. Their grazing wis part of the 'perks' o the job. The ither perks bein a 'boll' o oatmeal an twae bolls o floor, an twae cairtloads o coal. The loss o a coo wis a severe blow tae families wi oor sma income an I hid heard Mum an Dad discussin this afore ony decision wis made. We'd nivver hid oor ain coo afore, as far as I knew but I hid helped bring in coos tae be milked where we last leeved. Here only Daisy, the milker, needed brocht in at nicht, an though fetching her wisnae a problem, tying her up in her stall wis fir me. I'd tae stand oan her trough tae reach roond her neck an fix her chain, an oftimes she'd toss her heid when I wis daein this. She wis only pu'ing a wisp of hay frae the heck, but I nivver kent when the jerk wis comin, an usually got a fricht. Mum uised a strap roon Daisy's back legs tae keep her standin steadier an tried to tuck her tail in this to save getting swiped wi it when sittin on the wee milkin stool. Mary learned to milk but I didnae until mony years later, though I liked tae listen tae the swish o the milk gaein intae the milk pail when mum did the milking.

I did try mony weys tae pit a spell on Daisy as I'd heard that it wis a possibility (an aifter aw I wis a seventh child). I didnae really wish her ony hairm, only that she'd produce less cream an so there would be less churnin tae dae, as I found this job endless. I made up several wee rhymes tae tak the tedium oot o this job, an I began tae be able tae 'free-wheel' in my mind when faced wi tasks that were needfu bit no that enjoyable. If Mary was failin tae get my attention at these times she'd say *'the wean's drift thinkin again'*.

Churning when I was really wee wis done bi turnin a big wooden drum, weel no the drum itsel bit the paddle things inside it, ower an ower again. Aifter whit seemed endless time the noise begood tae soon different and the welcome soon o solids tumbling cam tae oor lugs. Then mum hid tae drain aff the bluey buttermilk (she kept this fir the men on hot days as it wis a guid thist quencher). Aifter a few washes tae clear the fatty solids, so that the butter wouldnae turn rancid, she got tae work wi butter-hans, sometimes addin salt, an made pats an blocks o butter. She showed us how tae make curls an balls but uisually juist tae pit a nice design on the tap o the blocks if they were gaen tae the van.

Later on we got a bonnie wee glass churn that wis much easier tae work wi, but needed uised mair often because it didnae haud as muckle.

The main thing tae mind on wis tae scald aw-thing thoroughly when done cos cream went rancid at the drop o a hat!

The byre was eyweys cool and dark, even on a summer's day, but the air was thick an close, an dust motes flew aroon at the least wee stir o wind. The smell o dung an hard dry harness, rancid wi auld horse sweat, in among the cobwebs an shaddaes that crept roon the wa's gaed it a weird glamourie. Here I hid slung a hammock atween twae o the stalls. We only hid the ae coo ta bring in fir milkin, an the rest o the byre stood empty. The back door led oot tae the midden an faced ower the hill tae a shortcut frae Kippen.

Aroon this midden grew 'midden mylies' which we fund oot were raither guid if the shoots were picked young, an biled. On some occasions we made soup wi nettles, young shoots, as weel, so no muckle went tae waste.

Ae day Bobby, my brither, cam in ower the back door o the byre, an I got sic a fricht I fell oot ower the back o the hammock whaur I'd been swingin, an cracked ma heid on the trough. Bobby had a kitbag-style sack, fu o washin, as at that time he wis single an leevin in a bothy, wi nae mod-cons. I expect mum was pleased tae see him, although he brocht her extra work, as this meant mair water to cairry an heat, then getting oot the washtub and wash board before giving his 'duds' a guid old scrub in soapy suds. Mum was guid at wringing things oot by haun, and this was her usual method wi Bobby's washing, as using the mangle with its heavy wooden rollers often broke the shirt buttons, causing yet mair work. Bobby wis the middle ane o my three brothers. He wis the only ane o my brothers I ever saw openly huggin my mum, an gaein her a goodbye kiss when he went awa, but I nivver thocht tae question hoo the rest didnae dae that. He had earned the nickname o 'professor' as he was a studious kin o chap.

Haymaking wis a serious maitter. Ane o the first things we'd tae dae efter oor arrival at Burnfoot wis tae see tae winter fodder fir the beasts. This wis a job we aw enjoyed. Fodder hid tae be available fir the stock in winter time, an we'd tae fetch in frae Kippen whit we couldnae growe oorsels. Dad scythed the hay when he reckoned the time wis richt. Takin some yellow-rattle frae amang the meadow grasses in his clenched fist, he'd assess this bi listening tae the noise it made. If the seeds (therefore the hay) wis ripe they made an audible rattle. Oor job then, as wis onybodie's free o ither work, wis tae turn the drying gress, tossin an rakin it in successive operations until it wis dry enough tae pile intae coleys, then later oan, we set aboot building it intae stacks fir winter-uise. The smell hid changed frae juicy new-mown gress, tae a mair tindery smell as it wis tossed tae air an dry. Buildin a haystack wis fun. Somebody got tae stan on the increasin heap an accept the offerings frae the pitchforks. Guid building wis essential if the hay wis tae keep weel, an placin the forkfuls so the length o the stalks cast aff the rain wis proof o a skilled worker.

I lo'ed the edges o the haymeadow whaur the silver shoogly shakers could be found. An there were lots o nippy sourocks tae eat, whaur there were nae beasts tae trample them, but in among the graisses leeved

Maggie-mony-feet, so you'd tae tak tent no tae eat her! I wrapped each heid o the shoogly shakers in Silver foil, (remnants carefully hoarded frae ma sweeties) an took a bunch o them tae school as a present fir Miss Finlay. O course we wernae allowed tae wanner willy-nilly intae the meadow an tramp doon the pasture, but I liked watching the graisses bendin in waves afore the wind, an sometimes sat on the river bank, forgettin my chores; smellin summer, an sometimes gettin back fir tea, sneezing fit tae burst. Anither example I suppose o my 'drift thinkin'.

Spring weather brocht lambing time an that's when Dick, the jobbing lamber, jined the fower o us. He kent the hirsel weel ha'in lambed there in ither years. He had uised the auld herd's cottage as a bothy afore han, an wis fair pleased tae bide wi us instead o ha'in tae manage on his ain. My mum got Board an Lodgin fir him but he wis a big chap an hid a hearty appetite an she said he ate us oot o hoose an hame. I think she only broke even wi whit it cost tae feed him, an aw her labour went fir naethin. I hae heard her jokingly ca him 'Rab Ha', the Glesgae glutton, but although she felt his stomach wis a bottomless pit she said he put it aw intae a guid skin. He wis aboot six feet twae, so o coorse wis 'big Dick' an uised tae stretch frae ae side o the hearth tae t'other, an fa asleep at the drop o a hat. Mary an I liked his dog, an we spiled it thoroughly. Aifter a couple o spring seasons wi us we nivver heard o Dick again. Maist able-bodied men had received their call-up papers by then, in 1940 an I expect he wis somewhere in the Forces.

Ae lambing time Mary an I cam across a deid ewe in the Burnfoot burn, in the lee o an auld plank brig. This ewe, mebbe needin a drink, hid ventured ower faur doon the bankin, an bein heavy wi lamb coulnae get a grip tae come back up tae safety. She lay there a sorry sicht, reid keel marks lookin juist like scars across her swollen belly, where her sodden fleece had imprisoned her. We were a sad pair when we reported this to Dick an my dad, as we knew apart from the loss o the ewe that the lamb would nivver be born. These things happened, sadly.

Scottie dreamed antrin times when lying flat in a patch o shade. Then he'd stretch an airch his neck, his back, an each leg in turn. He wis ca'ed a grey though in guid weather he wis nearly white, but he lo'ed tae roll. Where there wis surface water in a corner o his paddock he rolled till he wis nae langer white, or even grey. Indeed at they times, mane an tail plaistered wi mud, dreamin or pretendin, he oftimes didnae hear whin I ca'ed him. Catching him could be a problem when he wis frisky like that. He wis too broad across the back fir a wee lassie like me tae straddle, so I'd tae sit in ane o the panniers wi Mary in the ither yin haudin the reins. Bein the aulest this wis a natural preeveledge. Dad afcoorse led us aboot the field first tae let Mary get the hang o things. Mary, hooever, wis guid wi horses frae the start, an years later her first job wis tae exercise horses fir the vet in Crieff. Scottie wis playfu an no tae be relied on when near water. An he'd a 'bit o a thing' aboot the auld plank brig ower the Burnfoot burn. A rush, a rattle o stanes, an through the ford he stampeded, only tae become his uisual douce sel on the far bank. He ayeweys did this an tae start wi I wis fair stieve wi fricht, bit sune got uised tae his weys. He wis shair-fitted as a deer on the rouch moorland an we felt safe in his care. We'd tae dismount aince we'd gaen roon the shooder o the hill, an afore we got tae Cringate. Here there wis another burn but this time there wis a high wooden brig wi a haunrail doon ae side. Afcoorse Scottie wid niver hae crossed by the brig e'en when the burn wis running high, but he sidled agin it an we climbed oot o the panniers, an Mary, still wi the reins, we walked the short path, dry-shod, tae the Camerons' cottage.

Mum an Mrs Cameron brocht him richt oot tae the roadside on van days. The ither sculbairns surrounded him when we waited fir groceries at the road-en. They envied Mary an I an wid raither hae ridden Scottie than gone in Auld Bill's cab. *'Come on wi us tae the scuil,'* they said, *'an you can learn us tae ride at dennertimes.'* But he only stood wi half-shut nostrils, an lowered his long lashes, pushin at my mither's pockets fir the sugar lump he kent wis there. The van, when it came, arrived efter scuil hours so as folks could be met at road-ends an the cairying o supplies wis shared by aw. Scottie wis oor carrier. Grocer's lines were haundit in tae the van driver whae fetched the messages we hid asked fir on his next trip. Things like extra sugar at jam-making times, or Isinglass when we were pickling eggs, if they were in plentiful supply. '*We're fair comin doon wi eggs, this last week or twae*', my mum would say proudly.

Scottie wis stabled at the Camerons' while we were at the scuil. Frae there a shortish walk took us, noo accompanied bi Johnny Cameron, tae a Tarmac road whaur we were jined bi the three McDougals. Then we aw piled intae Auld Bill's taxi fir the last leg o the journey tae scuil, which wis miles awa at Muirlands, near the Carron Dam. Three others jined us here ha'ing walked frae the ither direction, the twae Keillor lassies an George Parker, sometimes kent as 'Nosey', whae leeved quite nearhaun. An that wis oor full complement!

This scuil wisnae the first scuil I'd been tae. That had been near where we leeved then at Ryebog, an I started scuil at Blairinroar, near Milnathort, when I was five. Dad wis workin in a quarry there an we were within walkin distance tae the scuil, Mary an I. We walked along a proper road, and it couldnae hae been very far, but aw I can mind are the furry webs on the leaves o the Coltsfoot when they started tae peep oot o the piles o roadmens' sand when the spring cam. There were mair weans at that scuil an it was a susprise tae me hoo few we had at this bit.

At Burnfoot, Mary an I, an some o the ither weans at their bits, gaithered sacks' fu o nettles an collected, an dried, sphagnum moss an took them tae Muirlands. Then we sat on the sacks in the taxi while Auld Bill took us tae a collection point. They were turned intae field-dressings fir Larbert Hospital, oor contribution tae the war effort.

The journey tae scuil wis marred only bi 'Nipper', who wis 'King o the Cab'. He wis the youngest McDougal, real name Bobby. He sometimes got tae sit up front wi Auld Bill which wis OK. But often ma sister or his sister Barbara occupied that place. I nivver got tae sit there fir Nipper would hae got me back if I hid, so I hid tae say I didnae like sitting there, which af coorse wis a barefaced lee. If we were squashed up thegither he leeved up tae his name. Naebody kent why I wis squeaking whin he wis nippin my bum, as o coorse I wouldnae clype, an they aw thocht it wis because o the bumps in the road.

Anither thing I'd tae thole frae Nipper wis his ither weys o ha'in fun at ma expense. At different seasons o the year he'd cover ma claes wi sticky willies, or later he'd keep a haunfu o rose hips in his pooch an manage somehoo tae pit the itchy linings doon ma back, makin me hotch aboot aw day.

Yet even in this isolated spot as you'll gaither, the War didnae pass us by. My faither an oor nearest neighbour went on a training course ae day an cam hame members o the 'Home Guard'. They had nae uniforms, only armbands, an werenae expected tae 'go tae war' but tae 'be vigilante in defence o their country'. They went on evenin manoeuvres, wi Carbide lamps tae guide their wey. I'd willingly hae gone tae, but I expect hours o Aircraft Watch would hae palled soon enough. I loved these lamps tho an kept my Dad's in guid working order, haein taen instruction frae ma Grandad Haining on how tae top it up wi water an carbide in their separate compartments, an wis very diligent in my 'war effort'. These lamps were used I think because maist folk hid them a'ready on bikes. An of coorse they were eyweys muckle prized bi poachers as the licht they produced shone richt through the water, makin it easy tae spot lurkin salmon.

We did hae a wartime adventure hooever, withoot ivver leaving hame. Ae day a young man stumbled up tae oor door. Mum wis working aboot ootside an he went ower tae her an said '*Make me your prisoner*'. '*Where the deil did you come frae*', she asked him '*jist look at the state o ye?*' His answer wis that he hid parachuted ontae the (sphagnum) moss behind oor hill. He hadnae been alane but his comrade hid deed o exposure an a broken leg. He himself wis injured despite their soft landing, an socht food an shelter, noo that his comrade had gone. Aw thochts o espionage ahint him, he heided in oor direction ha'in seen oor lichts, (the blackout wisnae really enforced in oor neck o the woods, an at this time we were still no very clued-up aboot things like oor byre lamps, tho we did mind on oor windaes) an he surrendered tae my Mum. Mum despite being taen aback recovered hersel enough tae recognise that he wis near the end o his tether an got him in tae the fireside. She raxed fir a towel frae the pulley an telt him tae get oot o his wet things. We were sent oot tae fetch my Dad. When we next saw the airman he wis wearing a pair o my brother's auld trousers an had a knitted blanket roon his shooders. My Mum eyways said that she hid niver felt threatened bi the paratrooper; she treated him as she hoped ithers would treat her son in similar circumstances. Dad however, quietly made shair that his shotgun wisnae left within reach when he gaed oot, as o course he hid tae since there wer'nae ony phones an he had tae let Angus ken whit hid happened. I suppose he felt that the young man aince recovered would feel he had tae mak some effort tae fulfil his mission, an escape. Sae Dad lost nae time in gettin word tae his mate frae the Hame Guard, an sending him aff tae get help. The prisoner wis treated weel bi my family until the 'authorities', summoned bi Angus, cam an removed him tae a Prisoner o War Camp. He wis wearing 'dog tags' although no in uniform, an could be treated as military personnel, The body o the ither young man wis brocht doon the Strath on a pownie, (no Scottie) an I expect gi'en burial bi the 'authorities'. The young 'spy' saluted Mum when he wis removed, obviously considering her a courageous woman. We became a nine-day wonder at scuil, an hid tae tell oor story ower an ower. Truth tae tell I wis unaware o the significance o whit had happened an wis mair thrilled at another event.

An enemy plane crash near Kippen lit up the nicht sky a few weeks later an we thocht the village hid bin bombed. This wis evidently whit the Home Guard hid been trained fir an the men hid tae mak shure that there werenae ony survivors. I got a piece o thick melted glass fir a souvenir. I cannae believe that I showed this grisly trophy aff at scuil, bit that's whit I did.

My brother Fred, the youngest o my brithers and eleven year auler as me, hid been fair desperate fir his eighteenth birthday tae come so that he could jine up an he volunteered richt awa fir the airmy, jinin the Tank Corps as soon as he could. He hid been hame on embarkation leave in the summer, so we kent he wis noo abroad, although as the mail wisnae postmarked in the usual wey we hid nae idea where. That winter we'd hid nae news frae him fir some weeks, which wis rare, my parents decided tae gae looking fir letters an news o him, at oor nearest contact point, Todholes farm. An expedition wis mounted as this wis an unusually severe spell o weather an we'd been cut aff bi snaw fir some time. They would also get an accumulator an a dry battery fir oor wireless. Scottie wis harnessed, no a saddle, jist the panniers for messages an my Dad led him aff. Mum followed, walking in their footsteps, wearin troosers. The first time she hid iver done sae, no ladies' wear, jist a pair o Dad's. She telt us aifter she hid sometimes held on tae Scottie's tail, but I dinnae ken if this wis true.

It must hae worried them tae leave twae young lassies alane tae manage till guidness kens when. I would hae bin seven, Mary eleven. They hid set aff at first licht so we went importantly aboot oor tasks. Oor self-importance I may say dwindled wi the daylicht. We shovelled snaw tae clear a space on which tae feed the hens. Mary could milk noo sae we'd nae trouble wi Daisy, I cairried hay an water an so she would be O.K. till evening. We also cairried water fir the hoose, an kindling, an some coal an sticks fir the range. I then fed the dogs an let them oot fir a bit o exercise. But there wis sic a depth o snaw that we couldnae get very far. Then it wis the turn o the hens an I cleared a wee square bit roon aboot their hen hoose an watered an fed them. Next it wis time tae feed oorsels, an Mary took care o this followin mum's instructions, an then thinking aboot nicht we trimmed the wicks an filled the lamps, oor ane an then the byre lantern. Aboot noo panic wis setting in, although we kent mum an dad couldnae hae been hame successfully aready, we worried aboot their welfare. Nae wunner this event sticks in ma memory. They were welcomed on their return as if they hid been tae the North Pole. They had letters frae the family, an airmail frae Fred, an oor accumulator had been swapped fir a freshly chairged ane, so noo we could be in touch wi the world via the radio at least, an hope we could soon get aboot again, when the thaw cam.

Wellies were the order o the day maistly in the winter. Mine had uisually been haunded doon frae somebody else. Mary often enough. Onywey they were uisually ower high in the leg an I wore them turned ower at the taps. Of coorse the flannel linings got wet wi this ploy, an the backs o my knees suffered! We ca'd this scadded, an I tried mony weys tae avoid it lik tyin a hankie roon the taps o my legs, puin my gairters up ower ma knees an tryin tae mak ma socks reach there an a. The best treatment for the reid, sair, tender skin wis Snowfire ointment. I heated the cake o Snowfire (jist the bit that poked oot o its cardboard tube) an slathered some on the sair bits. Oh bliss! An a pleasing smell o Wintergreen. The wellies themsels, pit nearhaun the range, but no ower near, smelled o sweat an rubber in an uneasy mixter-maxter. Oor haunknitted socks an oor gairters were hung under the mantelpiece on a line, an could be seen tae steam gently, explainin the smell that cam aff Dick's lang, marled stockins.

Crab Apples and Train Oil

'You'll read your brains intae train oil,' Mum uised tae say this wi annoying frequency, usually jist when I wis gettin tae the exciting last wheen pages. I hated ha'in tae pit the buik doon. Sae I learned tae read while knitting, which didnae seem sae lazy somehow, or whenever I could fin peace frae ma chores. I read whitever wis tae haun since there wisnae ony library, nae shops an maist shairly nae comics.

Ilka month the Library boxes arrived at Muirlands scuil. Sometimes they held buiks we hid asked for parteecularly; other times there wid be buiks bi favourite authors or even just bi genre as in *'Westerns, please,'* asked for bi some o the dads. That box wis a Godsend tae me. The arrival o the books wis a cause fir great excitement in oor hoosehold at least; maist times I read the whole families' share afore they hid tae be returned. Each family wis rationed for there wis only limited space in the big wooden box. Ane o ma heroines went tae school on a pownie tae, but in Australia. There were girls frae *The Chalet School*, *Little Women*, *Black Beauty*. Mary would help me wi *Treasure Island* an ithers o her favourites. Ma best Christmas presents frae my auler brithers an sisters were books: Annuals, Worrals an Biggles I can remember makin a meal o. Also I got books as scuil prizes,*Oor Lil* fir guid needlework, *Children's Bible Stories* fir guid attendance, an *Stories from the Norse*. Whit fir I dinnae mind.

Miss Finlay, oor teacher, allowed us, on a Friday aifternoon, tae choose whit we wanted tae dae, within reason. The boys were usually oot-voted an we would read alood; poetry wis a favourite. My ain best were the Angus poets whae's writing wis in Scots. These aifternoons were something really special tae look forrit tae. 'Silent Time' wis usually juist at the end o the scuil week as weel. Sitting still, nae fidgeting, feeling the impact o something fundamental shared, an wi the echoes o the twenty-third Psalm goin wi us on oor weekend, wis something I can still bring tae min in times o stress.

This scuil consisted, like the next twae I attended, o ae classroom, ae playground an ae teacher fir aw scholars, whae hid mony lessons thigither, fir instance needlework. Sometimes play times were staggered so that oor hardworking teacher could gie special tuition if a subject wis proving ower hard fir onyin. Fir instance oor intake kept changing at term time, when the workers changed jobs, like my faither had, an them whae jined micht no be at the same stage that the rest were. Tae prepare for winter Miss Finlay filled a jotter each wi sums for when we micht be no able tae get tae the scuil, if, as was often the case we were snawed in, an these were kept at hame until needed. We also hid reading lists an we'd systematically work oor wey through them when we were snawed up. I read them onywey if I could, as it wis such a waste ha'in unread buiks lying there, so this wisnae ony hairdship.

Aince when Mary an I got tae the main road on Scottie, stabling him at the Cameron's, Auld Ben didnae turn up because his road wis blocked. So we did some scuilwork at the Cameron's afore gaen hame again. Johnny hid a bad chest which pit him 'aff the stot' an meant he coulnae attend scuil, bit he recited reams o Hiawatha tae us baith. I fell in love wi the way he spoke those gorgeous words, an I could hear them in my heid fir hoors efterwards. Johnny said a bad attack o asthma felt as if he wis bein smothered – a frichtenin experience, an inhalers were unheard o at that time. Noo I could understan better what ma Mum felt lik when she had an attack, which wisnae very often, but did happen antrin times.

Next door tae the scuilhoose leeved Mr Stark, an this poor man had an orchard. Noo we were no really bad kids but diversions were few an far atween an I'm afraid that ivery autumn his trees were raided. There wis nothin else nearhaun an afcoorse he knew it wis us bairns frae the scuil. When I wis still wee enough tae be 'picked on' bi the boys, I wis hoisted up ower the wa an wis expected tae come back wi the spoils. Ae day I saw Mr. Stark in the distance an ran fir my life, droppin aipples awheres an fa'in doon frae the wa in ma panic. I wisnae chosen tae go the next time, fir the mums fund oot how I'd come bi my bruises, an put their combined 'foot' doon.

There wis a crab-apple tree near George's hoose an since he leeved nearhaun enough tae school he'd tak us back wi him sometimes at dennerbreak, otherwise, ootside scuil hoors there wis little chance o meeting up wi oor fellow pupils. Bi the time we had made oor wey hame daylicht hid aftimes faded onywey.

In fact Miss Finlay hid very few neebors; Mr. Stark next door, an George Parker's family no far awa. Abody else leeved at some distance. She organised parents' nichts on twa occasions that I mind on. We sang *Jesus Bids us Shine* an *Count Your Blessings* as it wis pairt o a school play. I wis on stage an I am certain shair I wis actually tryin fir tae skin a rabbit. Parents visited rarely but did on a few occasions, namely fir the school concert an fir a report at the end o the summer term, if asked.

We had practice fir the school pairty, where we aw learned tae dance (aye, the boys as weel, tae their disgust). Things like *Bee Baw Babbity*, an *Oats an Beans an Barley* went doon weel an we aw sang the words. Miss Finlay had a tuning fork an wi this she banged on her high wuiden desk, tae gie us the note. Just recently I wis teaching twae Polish girls hoo tae dae some Scottish dances, an sang my accompaniment tae a *Haymaker's Jig*, dancing at the same time, astonishing abody. But we had nae tapes or records an that is what we did!

Miss Finlay took an interest in the fact that Fred had jined the Forces, as maist o the men aroon were exempt frae war service because their jobs were essential tae food production. She tried tae mak the severity o the Country's situation clear tae us. Mary wrote some soppy poems aroond this time. Ane I mind on wis titled *My Brother, His Comrades.*

In winter the River Endrick in this Strath wis used bi Mary an I as a skatin rink. By tying a rope tae the walking stick that we had set tae freeze intae the pool when it wis icing up, we were able tae whirl roon an roon, nae skates needed. It wisnae really very deep an I dinnae think we risked life, mibbe limb, but we thocht we were great daredevils.

In the winter months we saw a fair few unuisual birds that had either got blawn aff-course or were merely ha'in a wee bit shelter on the wey tae their winter feeding grounds, these were ayeweys excitedly identified, but I dinnae think we could hae bin ca'ed 'twitchers.'

Anither o oor ploys was in the summer when we uised tae mak a 'dookie dam' if we wanted tae cool aff. When the water level stayed fairly constant, we hid a gran time stoppin up the burn wi stanes an clods o earth, tae mak the water deeper. Syne fairly up tae oor oxters (if ye were wee like me) we'd gae dookin in the hot weather. This was frowned on unless the 'dam' was released aifter ivvery uise as it could hae built up wi rubbish, an eventually flooded oor hay meadow; sometimes the culprit whae had failed tae let the water oot getting a guid skelpit leatherin.

We also sledged in oor hay meadow in winter, the smoothest bittie o grund in the place. My brother Fred took advantage o free labour when he wis at hame, makin us pu the sledge back up the hill, while he had the maist rides doon. '*Seniority at work*', so he said, but we felt it could hae been bullyin. We did tho like ha'in him at hame whiles, it made Mum an Dad happy, an we gained a big playmate.

Saturdays at hame meant daein the brasses, which I liked, wi the long fire irons, the bonny pierced coal shovel an the firedugs. I ayeweys enjoyed seeing them in the firelicht when they were gleamin. We would help wi the butter making, an sometimes the baking. Joy o joys wis when we were allowed tae use the treadle sewing machine fir makin oor dolls' claes. I expect I wis weel supervised, as Mum had aince run a needle through her finger when makin troosers for ane o the boys, an kent hoo sweired a machine could be. We also helped cut pieces for the rag rugs. Mum wis fond o pegging these in the gloamin. She could tell stories aboot maist o the pieces an the folks whae had worn the claes, as she made circles or diamonds o ane distinct colour, usually feenishin wi a border o dark trouser-claith. Later as an adult I found mysel daein the same wi patchwork quilts – when undertakin tasks like these the mind is free tae roam.

Mum looed jiggin, oftimes when there was nae scuil, on weekends or summer hols, she'd wind up the gramophone an pit on a record…She'd clutch the Kleeneze floor mop wi its white cotton heid, an float roon the room wi it as her pairtner tae the strains o *The Skater's Waltz*. We rushed aroon shoving chairs oot o the road an rollin up the rag rug. Then cam the piece-de-resistance. *La Versouvienna* or 'La Va' as we ca'd it was wonderful to jine in wi, as she pointed her toes first to right an then left, putting on her hi-falutin posh voice an singin '*Do you see my new shoes?*'—'*Do you see my new shoes, do you see my, do you see my, do you see my new shoes?'* It was great fun, and wee as we were we suin hid aw the moves an gestures aff pat.

Then would come Daniel an Peter Wyper on their accordions; as we hid very few records we were note perfect, an to their music Mary and I practised the 'pas-de-basque' and ' skip-change-of-step' we hid learned at scuil, on Friday aifternoons.

By noo it would be time to get on wi oor chores, but the finale was yet tae come. We hid recently acquired a record o Jo Stafford and Gordon McCrae singin '*Whispering Hope*' and we'd sit back in silence as these wonderful voices filled the room with harmony sic as we'd nivver itherwise hae the opportunity o hearing.

Af course Mary an I liked ma faither's dugs, but werenae encouraged tae mak pets o them. They were working dugs, but as puppies we got tae tak them oot fir walks an so on. Also the auld dugs liked a bit o company when their kennel mates were oot on the hill. Hooever I had a blue-grey cloth dug ca'ed 'Rex' whae wis a pyjama case wi a zip up his belly. I uised tae comb an brush his coat, until he got tae be fair threadbare, an bits o him fair fa'in abreid. But he had tae stand in for aw ma practice games when I pretended tae be a shepherd.

Strawberries and Cats with Attitude

At this time, we kept in touch wi other family members, many o whom were far afield, by letter, an my mither wis great at this. Oor letters tae her were condensed an passed on wi comments an her ain news added, weel intae oor mairried lives. This o course ensured that she got tae hear oor news first. Aifter aw we had nae phones an wernae ayeways shair oor radios were goin tae last oot tae receive World news. So being visited an ha'in a gangin fit were essential tae maintain family unity. Ae ither thing – my mither nivver went onywhere empty haunded, usually takin food or produce o some sort wi her, for her hostess. As she would say *'It's no richt tae gae wi baith airms the same length.'*

Ane o the things I enjoyed aboot my summertime visits tae Granny Cannon's wis tae gae in the early morning doon tae the railway bridge an wait there for the train tae pass owerheid. The guards would throw doon a paper bag, twisted tae secure its contents, an a copy o the daily paper. Maist o the passengers waved tae me as they passed on their wey. The bag contained fresh rolls, which we nivver saw at hame, an I got ane for breakfast aifter I had run back tae the fairm wi them.

Granny Cannon lived in Sanquhar at a dairy fairm ca'ed Castlebrae. This fairm wis owned by Charlie Dirom who hid married my Aunt Annie, Dad's sister. Granny wis really the ane in chairge o the hoose an I think noo she must hae made Annie's life a misery. Howsomever the Diroms seemed tae enjoy ha'in a bairn visitin for a whilie an enjoyed showing me hoo things worked. They had nae bairns o their ain an this would hae bin a novelty fir them. *Their* coos were milked bi machine an had bonny tiled stalls tae come in tae, each wi the coo's name abune it. It wis an eye-opener aifter oor wee rough byre at hame, but the doon side wis that they had sae mony coos an were no sae familiar wi each o them as we were wi oor animals.

The real reason for oor holiday though wis a 'duty' visit tae Granny. Hoo different she wis frae my maternal grandmither. I only ever saw her in the ae room whaur she wis surroonded bi clocks, ane o which wis a grandfaither. They aw chimed the hour but slightly oot o synch, wi the wee silvery chime o the mantel ane soondin at least tae the coont o ten aifter aw the others had feenished. Hoo mony midnichts chimed for a lonely auld lady if she wis ha'ing a sleepless nicht, alane wi her memories? Maist o the clocks had a wee dish o Paraffin inside the cases, which I believe wis so that the vapours could keep the workins in fine condition. I couldnae detect ony smell, but the Paraffin needed topped up occasionally, so must hae gone somewhere! My Uncle Charlie wound them aw except the mantel clock, every Saturday nicht, since they had eicht-day movements. '*Ye'll wear the hans aff that clock, wi aw yer lookin*' *Granny wid* say tae me, but I looed the wee mantel clock that seemed tae snip the minutes aff each hour.

Granny ayeweys hid mony cats, chief amongst them bein Captain. He wis huge an black an hid attitude. He took nae prisoners an wis usually tae be seen glaring frae a chair-back wi his evil green een, his tail swishin threateninly. The ither cats were cowered in a corner an if ane dared tae sit in Granny's lap you could hear a low rummle frae Captain which I wis shair boded them nae guid. Granny liked tae rule the roost an perhaps this explained her fondness fir Captain, ha'in recognised a kindred spirit.

I wis expected tae be neat an tidy when I presented masel, on invitation, tae visit Granny in her room, where she would be ensconced upricht, in her high-backed chair. She aweys wore black, except a white mutch at times, like in the Whistler paintings. She wore several rings on wee podgy fingers. Ane o these wis eye-catching bein a large carnelian set wi several wee Scots pearls doon either side. I got time tae study this as she moved her han tae stroke the cats' fur, in long sweeps, frae heid tae tail. Then her '*Stop staring, lassie, I thocht Aaron's family would hae been better brocht up*!' made me feel ashamed o my curiosity an as if I wis letting Dad doon. I can nivver mind on him visiting; eyways it wis Mum whae made the effort tae keep in touch. I cannae mind enjoying this pairt o my visit, being too in awe o the fearsome auld lady.

Grandad Cannon I hae nae memory o, but the boys said they got '*mony a clip on the lug fir whistling*'. He must hae been very strict, an Granny allowed him tae estrange her frae her elder son, Rob. He had been wicked enough tae smoke a pipe, an unlucky enough tae be caught at it. Aifter that Grandad considered him the black sheep o the family.

Their youngest son, Fred, hid been tragically drowned juist afore his twenty-first birthday. (It's the wrong way roon isn't it, fir parents tae see their bairns buried?) I dae wish I hid understood Gran a bit better an been allowed tae talk tae her aboot these kin o things. In those days though you kept your emotions tae yoursel, an although I showed curiosity aboot Fred's photo naebody mentioned him, an I soon learnt no tae ask. I expect they did mind-on but felt it best no tae talk aboot it, in case we blethered on aboot it ower muckle an upset Gran. I later found a newspaper cuttin in oor 'Black box' where aw the birth certificates an ither family documents were kept. He had drowned, haein taen cramp when cooling aff efter a day at work in Raehills gairdens, mibbe in the greenhooses. A young witness ran for help shouting '*Fred's sunk*' but naebody was able to get there in time tae save him. The pool was aifterwards kent as 'the Gairdener's pool', a fitting reminder o my young uncle.

The thing I lo'ed best at Castlebrae wis the huge field o strawberries that the fairm grew commercially, although they were Dairy farmers. Wis this an early attempt at diversification? I wis able tae pick fruit maist days an must hae eaten enough tae last till the next year, but we ayeweys took some hame wi us for the yins we'd left ahint. On ae occasion we hid a basket o strawberries on the luggage rack in the train, lined wi rhubarb leaves for coolness (nae plastic bags in them days). The luggage rack consisted o diamond-meshed net an there wis eyways a long thin framed photograph o a local beauty spot atween the rack an the upholstered seat. Aifter a while oor basket developed a leak an started a slow drip ontae the hat o the woman seated directly alow. Hats were 'de rigueur' in those days. (Best clathes, an clean sma's, were essential fir traivel. '*One could perhaps be involved in an accident!*' '*An had you got a clean handkerchief?*') The wearer wis unaware o the sticky mess her hat wis getting intae an I wis frichted tae draw my mither's attention. Hoo relieved I wis when we disembarked at Central station in Glesgae, an takin oor basket wi its juicy contents, walked up tae Buchanan Street tae get oor Bluebird bus frae Alexaner's Bus Station, fir Fintry.

Sadly my last memories o Granny's room, when I visited Castlebrae mony years later wis o a sense o desertion. A faint whiff o English Lavender remained but although much time hid elapsed the clocks seemed no tae hae moved.

Sawmills and Fuchsias

'C'Mon, lasses,' Grandad would say, *'aw hans on deck an we'll get them fewshers ootside afore it rains.' 'C'mon, Mither ye'd better gie's a haun an aw.'* Then we'd form a chain an pass oot his precious pots so that the 'Good Lord' would save us the job o waterin them, an they got watered 'the idle man's wey'. *'It's an ill wind that blows naebody ony guid,'* he'd say, an taught my sister an I tae look on adversity as a challenge. He ca'ed it the *'Wartime Spirit'. 'It does them guid tae get an aw-ower wash noo an again.'* His fuchsias were much admired. They had a ballet dancer look tae them, wi the wee tiptoe legs hingin doon.

Mum, as I've said, liked her holidays, an managed tae get awa maist summers, fir a week or so. Unlike going tae Sanquhar tae the other granny's, visiting Closeburn wisnae a chore. These relations were on my mither's side o the family. I liked visiting them. We had nae car an Mum nivver had the chance tae learn tae drive in ony case, so journeys 'doon south' were made on fit, by bus an by train aften in that order. Mum at this time juist hid Mary an I tae trail wi her, but of coorse there wis oor luggage as weel. I expect she wis fair forfochen afore she got us safely tae oor destination. Mum wis caed 'Spring-heeled Jack' by some o the Glen fowk whae envied her her energy, and juist kent they wid hae been foonert lang afore she wis. Also there wis the problem that my Dad wis a very puir haun when it cam tae milkin an couldnae be left ower lang on his ain or the coo would hae 'dried up' by the time we got back frae oor stravaigin.

Some o my holidays involved going tae stay wi my mairried, auldest sister at Newport-on-Tay when I wis a lot auler, an tae the borders tae an

Aunt, but going tae see Granny an Grandad Haining at Closeburn must hae been the best, an although it must hae been extra work fir Granny, we were eyweys made welcome. We got cups o tea in the mornins, in oor bedroom, wi a Rich Tea biscuit an in a Willow pattern cup an saucer. Granny only tutted at Grandad's capers as he relived his childhood through us. I remember her eyways busy 'seein tae things' an letting Mum scoot aff on a bike, or the bus, tae visit girlhood freens. Mum loved a bocht fish supper when she got tae Thornhill or Dumfries, an we would hae had supper an been bedded early, afore she cam back.

As I lay me down tae sleep
I pray the Lord my soul tae keep.
If I should die afore I wake,
I pray the Lord, my soul tae take.

An then there wis oor list o 'God blesses'. I nivver kent until much later that this prayer wis by A. A. Milne. Just then whit I kent was that it wis God's job tae keep us safe frae hairm till mornin licht!

Granny would be happily humming *Golden Slumbers* as she tidied awa oor things. This tidying awa wis why I called her my *'Granny o the mony boxes'*. Bags, tins an boxes were for tidying things intae. No only that, but the boxes were tidied *intae* boxes as weel. She'd say, *'I eweys like tae ken whaur tae pit ma haun oan a thing whin I want it. It's no muckle uise tae man nor beast tae hae a thing an no ken whaur it is.'*

The fun pairt o this for us wis the 'button box', which we got oot noo an then, ha'in mony a glorious rummage on wet days trying tae mak 'sets'. We admired the bonny auld buttons, which we were shair were worth a fortune, as they were sic works o airt. Some o jet, some enamelled an some brass tunic buttons which had been aw through the Great War.

This 'tidying us awa' intae bed wis her way o getting Mum tae hersel fir a wee while when she cam back, but if Mum brocht hame a mealy pudding, which she sometimes did, we were allowed tae sit up an eat that in bed if we were extra carefu. Then they got on wi their gossip as they got oot their knitting, usually a stan o fower steels (Knitting Needles) an a ball o wheelin wool, which would dwindle in their busy hauns for a sock would be on the go. Balls o wool in Mum's case were wound in a special wey, which meant that the wool wis uised frae the inside. This ball wis started bi holding dooun the beginning o the skein wi one's thumb an then winding roon thumb an fingers makin a nice springy ball that didnae stretch the wool. Grandad's airms or the back o a kitchen chair could be pressed intae use tae haud the skein, but I liked the job o haudin the wool an thoucht it helped if I waved my hauns aboot frae side tae side. Wheelin wool wis used for the mens' work socks, which were eyways needin renewed. Often the legs were refooted until they themsels were worn oot. Mum could knit ony type o heel frae French tae Double or Dutch, an the tops were eyways springy as she had a special way tae knit intae the back o her 'rig an fur', which wis double rib. Granny also made cobwebby shawls for ony new bairn she kent, oot o the finest twae-ply natural Shetland wool, like gossamer. These were pinned oot under a mat when feeneshed, tae shape them. We were then aw egged oan tae walk ower the mat wi the cloth-protected shawl in alow, tae 'set the shape.'

So purling an plaining, steel needles flashing, Gran an Mum could catch up wi the gossip aboot the ither family members, especially my Aunts Phyllis an Annie, who at that time were single an a worry tae Granny bi the soond o things. Unfortunately I'd fa asleep afore getting tae the bottom o the reasons.

Quite often I'd fa asleep tae the clunk, clunk that wis the noise o the bolt-iron that Granny uised an the clean hot smell that wis wafted upwards frae her evenin chore o ironing Grandad's Union shirts or oor licht summer frocks. Because they leeved aside the sawmill an the offcuts were available tae Grandad there eways seemed tae be a fire in the grate, even in the summertime, gi'ein a bricht blaze an the smell o pinewoods. Maistly this heated the bolts fir the iron. The kettle would add its singin noise tae the welcome o the room.

'I aye like tae keep on tap o things,' wis Granny's by-word, as she indulged in her passion fir tidiness.

Granny's gairden wis next the sawmill an wis a place that drew us a. If I close my een tichtly I can smell it still, her special corner. It hid a sweet smelling area where she sat oot on fine days. There it wis busy wi the noise o bees, bein fu o mint, lavender an sage wi garden pinks, an lemon thyme just at her log seat. An there was her favoutite o a, ca'ed 'Lad's Love', which only released its smell when rubbed in the haun. The 'leafs' (we didnae ken the names) gaed us shade as the June sun tried tae spread freckles ower my pale face. The licht through these leaves made fluid patterns on their strong hauns, an lines wannered ower their laps an faces. The peas made a steady rattle as mum an gran skipped them intae the enamel bowl. I skipped as weel, wi joy at being alive, as I breathed Granny's wee tunes under my breath trying tae commit them tae memory, an left the ithers tae top an tail gooseberries, hull strawberries, or shell the peas. Sometimes at nicht when the windaes were left open, we could smell the warmth frae the gairden, or a breath o lavender driftin up in the half-gloamin, afore we fell ower.

My Grandad won the war, or so I thocht for a lang while. He was the ane that taught me tae clean an maintain my dad's carbide lamp, without which the Home Guard couldnae hae gone on nicht-manouvers. As he said *'Ae thing leads tae anither, an like in the case o 'the horseshoe nail' the big issues rely on w the wee details bein fenished satisfactorily.'*The same afcoorse went for me bein there at a. If Grandad hadnae kent Annie Laurie, he would nivver hae met Phyllis Green, whae became my granny. End of story. Only later did I work oot that they'd mibbes hae met because o his fine singin voice, an that 'Annie Laurie' micht no refer tae the actual *woman* at a, but tae the sang.

Grandad hid a rack fu o pipes an smoked 'Bogey-Roll.' He let me licht his current favourite for him wi spills that we made frae tichtly rolled up paper. These spills leeved in a brass shell-case on the mantle. The rich smell o the baccy scunnered Granny but she stopped short o asking him tae hae his smoke ootside, as some o the ither wives did. Besides he could chairm Granny easily when he wanted his ane wey; she melted like butter in the sun when he smiled his lopsided smile at her.

They hid a large family, Mum being ane o six sisters an their family wis completed bi twae boys, eicht weans in a, an ane mair than in my ain family. Mum wis tall like her mither wi long supple fingers an nice oval nails. Despite her seiven o a family, she wis slim wi a full bust an when she wis doing chores she tied her crossower peeny tichtly, still ha'in a pride in her appearance, an taking the chance tae show aff her figure.

'I wish I had a figure,' wis a constant plea frae Mary aboot this time, as she waited for signs o growing up.

I wis the sturdy, tousle-heidit owner o bricht red hair an a record crop o freckles. These had tae be daubed on very warm days wi a mixture o Alum in water, which Mum made up for me. Withoot the use o this, my skin reddened an blistered. A bottle o this even traivelled wi me on things like Sunday scuil picnics. '*Betty takes efter her Grandad,*' wis said often in this area, but no at my ain hame where naebody kent him. '*Ye couldnae miss her for a Haining,*' wis another often-heard remark. I liked bein pairt o this family.

Grandad wis redheided, shortish like me an had broad blunt-fingered hauns wi which he put the boards through the sawmill so that it seemed easy as snaw fa'in aff a dyke. We were only allowed tae go in the yaird if supervised, an never gaed onybody a haun as we did at hame. I expect they were worried that they'd hae tae haun us ower tae Mum wi bits missing, as the saws were awfy frichtsome. There wis eyways a nice resiny smell like the ane we had at hame in the stick hoose. But there wis sae muckle sawdust that it could sometimes flee up an get in your een. When we took in his half-yokin, Grandad eyways had a wee break, sometimes sharing his piece wi us an entertaining us wi stories, some o which were true. How he went tae school wi Annie Laurie, rode milk-white horses, his wartime exploits, aboot courting Gran. He also knew aboot Tom an Jerry, the Tooth Fairy, an hoo life on Earth stertit.

Wet days he'd entertain us wi their wind-up gramophone, which had a tall wooden cabinet aw tae itsel. Some o his records were single sided an ane wis a floppy white disc which played aricht if you uised a new needle. He'd hauld ontae oor hans an let us stan on his feet as he danced roon the linoleum an we could be Fred Astaire an Ginger Rodgers. *Rock-a-Bye Your Baby with a Dixie Melody* wis ane o his favourites, wi *You Made Me Love You* running a close second, because he could dae some nifty footwork an mak us dizzy, sendin Granny mad. '*Robert,*' she'd say '*Ye're windin they lassies up far too nearhaun their bedtimes. They'll no fa ower fir ages noo.*'

If Mum was there she wis egged on by her dad as weel, an she had a way o haudin her nose an singin lik a kazoo, an we'd get combs an tissue an dae the same.

Wi Grandad we'd play Neevy-Nick-Nack for Conversation Lozenges (these had different things on them, like 'Be my Sweetheart' but I hardly ever won, eyways pickin the wrong haun). Bed-times were mair fun when he wis there, an eyways a tune that we kent some o the wirds tae, or mibbie he'd try tae teach us a new yin frae his vast repertoire as we made oor freshly washed way up the wee curvy cottage stairs. Then we were tucked in, demanding mair sangs an would often get songs minded on frae his days in the forces.

His choice o pastimes included spelling games, names o flooers tae be learnt on oor walks, an aw sorts o wonderful unexpected conjuring tricks. He had at ae time somethin tae dae wi the local Boy Scouts an had lots o funny tales o happenins at summer camps. I would end up greetin at the thocht o ha'in tae jine Brownies or Guides as I thocht that uniforms had connections wi war an fechtin. In fact the first things I jined were the V.A.Ds when I wis in Crieff, an we were distributing wartime parcels. But o course, as a nurse, I wore uniforms for maist o my workin life.

Ae year we were in Closeburn at Easter, maist unusual, an I cannae mind on the reason why. Maybe Granny was ill? I dae mind tho finding a brooch just beside the sawmill – it was o an Airedale terrier, and wis o gold-coloured metal. For mony years I wore it in the lapel of my winter coat as naebody in the village laid claim tae it.

I must hae deeved Grandad wi aw the spierin I did, an at that time I mind oan bein fascinated wi the wey the toot-e-roos o the daffs aw faced in the same direction, like sodgers on parade. Grandad said it had taen a lot o hard work tae plant the bulbs the richt wey roon so as tae get that effect. Was there a twinkle in his ee as he said this?

We learned tae forecast the following day's weather bi looking at clouds, but my favourite was goin on a snail hunt an then sayin, '*snaily, snaily pit oot yer horns an tell us if it'll be a fine day the morn*'.

Grandad eyways had time for me, he liked goin for walks even when he wisnae oan an errand, unlike maist o the grownups I kent. Sometimes we'd wanner too far, deep in oor blethers, an because trailin aw the wey hame got wearisome he'd turn it intae a route march singin some o his auld mairchin sangs wi great gusto, tae encourage oor flagging steps.

He taught me a lot aboot the countryside, what his country meant tae him, an hoo tae decide things by weighing up the ifs an buts. He tried tae help me come tae terms wi my shyness an deal wi my speech 'hesitation', no quite a stammer, which often stopped me frae saying whit I wanted tae.

Grandad loved life; his memory fir me is evoked by the smells o wood, resin, an sawmills. An when I see a leather finger-stall, there he is. He eyways seemed tae wear ane, on yin or ither o his hard-working, scarred an caloused hans.

Glimpsing the Unicorn

My first awareness o bein eight wis at the time when my Granny Haining died, an I saw the Unicorn. I could only think o keeping oot o the way as the general mood o the hoosehold seemed tae be gey edgy. My favourite place tae be on ma lanesome wis in my hidey-hole, under the table where I couldnae be seen, as the tablecloth, a thick maroon ane, hung almost tae the flair. There I went an sat, hunched ower wi ma knees up tae ma chin, tae think through my sorrows an that wis when I saw him. He seemed tae bring me Granny's scent, the scent o buttercups an clover an I felt happit roun wi her airms, her soft grey shawl tickling my cheek an I could hear her voice, back frae when I wis really wee, singing some auld familiar Scots 'Bairn's Songs'.

Aifter that when I wantit tae, I could sing her wee sangs in ma heid if I wis missing her. I think I micht hae gotten a glimpse o the Unicorn at other times in ma life, but although I went back intae my hidey-hole frae time tae time he niver cam there again.

Big events were heralded bi the Unicorn's visit. We were tae flit as my Dad hid aince again chainged his boss, his fairm. It wis felt bi the family that Mary should get the chance o Secondary Education an we would therefore move nearerhan tae where this wis available. She would soon be auld enough tae leave scuil an I would be the only ane left needin education. What exactly this involved hid nivvèr really been explained tae me, but I wis soon tae fin oot.

My scuil freens were bein left ahint. My teacher tae. Would Miss Finlay miss me as much as I kent I would miss her? Auld Bill's car would nae langer pick up twae Cannons at the road-end. Maist o aw though I would miss Scottie, my steadfast daily companion, fir he couldnae come wi us, belonging as he did tae the fairm.

'Keep her going, keep her going' I shouted tae my Mum, as 'Auntie Kathleen' wis daein her bit on the bairn's radio programme, an aff I ran tae fin my marbles. Oor radio, ran on a grid-bias, an accumulator an a very large dry battery. 'Auntie Kathleen' wis on an she wanted us tae play a game wi oor marbles. Weel o course I couldnae find mine an I asked mum tae *'keep her going'* till I did. By the time I got back wi the bagfu the programme had almost feenished. Aw the fowks that were helping wi the flitting laughed, I couldnae think why.

This wis just ane o the upsets caused by the upheaval o the flitting. Nae langer wis onything in its uisual place an besides this, the hale hoosehold wis in a bit o a dwam aifter Granny's death. Grandad seemed tae hae lost the breadth o his interests an ploys, an mum said he wis needin a big hug frae Mary an me.

'He's just like a knotless threid,' my Mum said o him, as he wis diminished withoot his 'other half'. He seemed tae grow auld in front o us. Hunched up at the windae maist o the time, whiles lookin at photaes, whiles jist lookin oot intae the distance.

He gaed Mum the amber beads she had eyways admired, when her mither wore them. The Haining sisters had caed them by a strange name, because o a legend surrounding them, *'Tears o the Daughter o the Sun God'*. Later in a scuilbook, which I seem tae mind on wis caed *My Book of Greek Heroes*, I found oot mair aboot Amber. It wis written in a raither formal, stiff, learned language, but my ear liked the cadences o it. I still find that amber hauds a fascination fir me: The story was that amber was the tears the lasses shed which hardened on reaching earth, but had healing powers.

The Haining sisters cam tae the rescue o ma grandad sometime later tho. They got him tae come an leeve wi them in Kinnel street in Thornhill, where they shared a hoose, an helped him get the job as the scuil 'Jannie'. It was guid for him tae be wi them as he could nivver hae enjoyed leevin on his ane, aifter granny had been uised tae daein awthin fir him.

Suddenly the room wis fu o tea chests. They hid a strange spicy smell an sometimes their insides were covered wi siller paper an hid tea lurking in the corners. Ootside they hid stencils, which said CEYLON, an whiles they hid reid dragons on. Almost aw oor belangins went intae them. First, piles o newspapers were wrapped roon aw the blue rimmed dishes frae the corner cupboard in the front room, which hid held Granny's china. The weichts an the pendulum were taen aff the clock an wrapped up. The nicht afore the move we hid tae sleep on a shakedown on the flair, as aw the iron bedsteads an springs hid been taen apairt, ready fir the move. My job wis tae securely tie the 'key' on tae the frame o ane o the beds as this wis essential when pittin aw the bits thegither again.

'Wheesht, lassie, wheesht, ye maun baith gang yer seperate weys noo. Tak yer leave an come awa!' So said my Dad when he saw hoo hard it wis for me tae look forrit tae the move that meant leaving my beloved Scottie ahint. It wis only noo at the last meenit that I realised just hoo final this pairting wis goin tae be. *'Ye've every reason tae be prood o yourself, for the way ye've got on wi the wee horsie,'* Dad said *'if ye mind on the spot o bother ye hid wi him at first,'* showing that he hid been aware o my initial fears. Then, pittin his haun on my shooder an leading me back in, he said in his weel kent bracin phrase, *'Haud up yer heid, lass, ye're gaun fir dung!'* This usually got me laughin an even this time because it wis familiar an comfortin, I managed a smile.

In the morning the last thing tae get packed wis an aul broon tin trunk that got filled wi the kettle an things mum would need tae gie folks tea when we arrived at the new bit.

Part 2

Moving to Fearnan

Tattie Dreels and a Rudge Whitworth

So we left Burnfoot… I walked through the door an left it ahint, an I hid lost Scottie. That day I had no even kent where I wis an felt as if I had nae hame. My parents an sister were in as much o a muddle as me, I think, but we werenae discussing this in case we felt the hurt ower muckle. This, on top o the Granny-sized hole which I wis already coping wi, wis ower-whelmin.

Throughout my Dad's life we ayeweys leeved in a tied hoose, an if the job went, so did oor hame, but at this stage I wis only beginning tae fin oot what frequent relocation involved. My Dad's new job wis shepherd tae a fairm caed the Boreland, fairmed by the Campbells. Oor new hoose, Balnearn, wis perched on a steep brae, aff the main tarmac road, atween Fearnan village an Kenmore, owerlooking Loch Tay. Because the brae face wis sae steep the track zigzagged frae the main road up past oor new byre an oot-hooses an made the hoose seem a lang way up. Scottie would hae made short work o it though! Dad said *'Ye'll soon grow ae leg shorter than the other ane an then it'll be easier. Then ye can walk wi ae fit further up the slope.' (Ha, Ha.)*

On the road tae scuil at Fearnan we had tae pass the Traivellers' camp, which wis smoky but cosy lookin. At that time I caed the McGregors tinkers. Noo af coorse it's mair acceptable tae think o them as traivellers. They didnae hae tents but hid 'humpys'. Oftimes families moved intae an oot o oor area at Michaelmas term, an sometimes the traivellers' weans cam tae the school fir a few months in autumn an winter, aifter tattie holidays were ower. They had tae hae twae hunner attendances or their parents got intae bother wi the 'authorities'. Their families made pegs an baskets an 'did the doors'. They settled for a short time there, where they were tolerated, but were no completely trusted. But they cam back year aifter year, tae the same site, so were weel kent.

Tae get tae scuil we aye had tae pass Auld Dan's hut, in the corner o a field. He wis scary, an I sometimes heard him cursing at fowk. He could be there aside you an you hid nivver hid ony notion that he wis nearhaun. I went roon alow the road an climmed the dyke if I wis on my ain. I wondered if patterns like Mum's stukie flagstane anes would help keep auld Dan awa? I added Dan tae my usual list aifter I said my prayers, jist tae be on the safe side.

'Now I lay me down tae sleep...
an ... keep me safe frae Auld Dan!'

We hid got new shoes fir this scuil an Mum hid been exasperated trying tae fit Mary's foot. *'Broadfoot's your middle name, my lass,'* she said. Dad's mither hid been a Broadfoot afore her marriage, so maybe this hid been in Mum's mind.

Mary an I walked the three an a half miles tae scuil tae meet Miss Purves an the ither pupils. When Miss Purves wis entering us in the register she asked for our hale name, including a middle name if we hid ane. Mary's haun shot up, *'Mary Broadfoot Cannon, Miss'*, she said proodly. This became a standin family joke which puir Mary had tae leeve wi, even as an adult. I suppose I must hae telt tales on her when we got hame.

We hid inkweels in the desks at scuil, an I hid noo tae use a pen an ink for my essays. My pen wis painted grey an white on the hannle. I got a new nib an Bobby who sat beside me, telt me I had tae wet it in my mooth afore I uised it. Only when it wis new afcoorse. He telt me it wis tae mak the ink stick. Sometimes he telt lees, I wis shair, but I did it onywey. (I even seemed tae miss Nipper. Are aw boys named Bobby sic wee terrors?) Noo as weel as grubby, inky fingers I hid smudges on my face, an ma nice new jotter. I lo'ed writing, bit only wi a pencil. I could mak that neat an tidy an be quite prood o the results.

Mary bore the scars frae that scuil for ever afterwards. She got whitlows on her fingers frae heating the milk bottles at the school stove, as being the aulest she hid the job o dishin out oor third-o-a-pint in the mini bottles at playtime. She niver did gae on tae Secondary scuil, as aifter long talks aboot Aberfeldy, an boardin, she opted tae leave scuil at fourteen an tak a job.

In the village lived another new scuilmate, Dohie. Dohie is Gaelic for Duncan, an the McLarens were Gaelic speakers. His father wis a tailor, an they lived next door tae the scuilhoose.

At the stairt o the village there wis a cobbler whae sat ootside his hoose mendin shoes. No in the winter time o course, but I saw him cross-legged in his windae whiles. That's what a cobbler did in those days. He didn't swallae ony o the tacks, although he held them atween his lips. He had Lasts wi numbers in the iron soles. Even ae yin as sma as a number 1, but I dinnae think he made shoes, only mended them. So he would hae been a cobbler, no a soutar. Dad had a Last as weel, a different kind though. His had three feet an it wis aw in ae piece. It could be turned tae rest on whichever side wis needed, depending on the size o shoe bein worked on. He put tackets an segs an cackers on oor shoes, an occasionally leather patches, or repaired sewing at the welts. As I learnt, we had tae be self-sufficient in mony ways.

Alec an Margaret Dot, ither new freens cycled tae school frae Dalerg. Sometimes they walked, pushing their bikes, fir a bit o the way back wi us afore cycling the rest hame. Margaret wis ages wi me. Because o her surname I caed her Dot. That made her Dot Dot! She said that if I caed her that she'd find a nickname for me. I coulnae no! So they aw stairted ca'ing me Carrots. I tried tae sit on Alec's crossbar but it wisnae sae easy an I fell aff every time. Mary cuid manage but she wisnae supposed tae leeve me tae walk hame on my ain. My knees were often bleedin frae fa'in on the hard road an it's a guid job I didnae wear long stockins like my big sister.

I discovered what a long-felt-want is. I had thocht it meant that thing you put ahint the door when it's draughty; bit it turned oot that my mum hid ayeweys wanted water on tap, inside the hoose, an noo she'd got that at long last. That wis her long-felt-want.

I began tae realise various things aboot my mither when living here, things which I hiddnae noticed afore. Because I wis noo meetin ither families some comparisons were inevitable, an my mum seemed tae be the maist industrious o aw. I still found her discipline hard at times though, as oor viewpoints were totally different, or so I thocht then.

I mind on her maist clearly wearing her cross-ower peeny, an dryin her hauns on the corner o a coarse apron, pushing doon the cuticles as she did so. She spent muckle o her creative time in the kitchen. The soup wis eyweys garnished just afore serving wi finely chopped fresh parsley. The butter wis shaped intae blocks wi freshly scalded butter 'hauns', marked up intae evenly spaced diamonds. She had an awfy time when Aunt Lisbeth's parcels arrived from Canada for Christmas, as there wis usually something newfangled inside for her tae fecht wi. Things like 'Jello', an 'Betty Crocker's Cake mixes'. Aince it wis 'Smash', a powdered potato which she made intae glue on several occasions. Only then did she listen when Mary an I telt her the water for making it had tae be just aff the bile.

My mither made aw the rugs for the firesides, clootie rugs we caed them an Mary an I cut the cloots for the patterns, which were maistly lines an diamonds, frae the best bits o worn-oot claes. These were hooked through sacking rescued frae the meal bags, an aifter completion a lining wis tacked ower the back, an sheep shears used tae cut the 'pile' tae an even depth.

She wasted naething, even the flour bags were uised an made nice soft pillowcases, an the heavier hessian sacks frae oatmeal were sometimes uised tae mak strong work aprons, worn when floors needed scrubbed. These were ayeweys uised to mak my Dad's lambin bags.

Mum hid many instructions aboot how we should conduct oorsels, which aw seemed tae stem frae superstitions she hid learned, but ane at least noo seemed tae mak sense tae me – we must never hide frae the rain under a tree in a thunderstorm – I did an got a michty fricht as a huge branch fell inches awa frae me, wi a tremendous crash, ae day. I wis sae unused tae trees that I hadnae kent that the branches could be sae rotten.

Anither o her creeds wis *'singing afore breakfast maks fir greetin afore tea'*. An *'naebody should whistle afore breakfast'* either, or *'count ane's chickens afore they hid hatched'*. The last ane seemed tae mak sense tae me, but I ofttimes forgot tae pey heed tae the ithers.

Mary an I had a bedroom upstairs! I'd never hid a proper upstairs afore; oor room had stripey, faded wallpaper which I liked. There wisnae a windae, juist a skylicht. The skylicht wis fitted wi a metal bar which could be hooked ontae a peg an this kept the windae open. We learnt no tae leave onything precious under there as rain cam in often afore onyboby minded tae shut it. There wis a proper windae at the landin though, which had hinges, an I could lean out, an if I leaned far enough I could see the birds' nests in the ivy. My especial joy wis tae see the wee yorlins, when they hatched, as I could see richt intae the nests. They were yellowhammers I think.

Sometimes like at Granny Haining's we could hear voices comin up the stairs as we were fa'ing tae sleep.

At nicht we had blackoot curtains an I had the job o mindin tae see that they were fixed properly on the skylicht an the landin windae. We had never needed blackoots at Burnfoot, though we had pu'd oor curtains thegither, an I often felt a wave o nostalgia for the moonlicht sky I had been used tae seeing frae my windae. Hooever we were allo'ed the Valor stove in oor room, if it wis cauld, an as we were sae near the roof it often wis, in winter. It burnt paraffin an smelled a bit but seemed cosy an safe, an I soon learned tae enjoy the moving, glowing patterns it sent aw ower the sloping ceiling. They swirled roon like a kaleidoscope. When mum cam tae turn it aff an say guidnicht she had her silhouette thrown agin the ceiling, an wis as tall as a giantess. *'Said your prayers?'... 'Nicht, Mum'.*

Some nichts I hung oot the landin windae an aince when I stuck oot my tongue the first snowflakes landed on it. I liked tae hear rain on the ivy, but wis often a bit worried by pebbly, rattly noises which dwindled awa down the inside o the ootside wa, an thocht it micht be rats.

When tattie holiday time came I got tae dae a half-stent. This wis tae help wi the money fir a bike. Then like Dot an Alec I would be able tae bike tae scuil. Tattie picking wis easier if you worked uphill an if the tractor driver wis carefu when he wis workin the spreader. We had a wire basket an I helped fill Mum's an we did a length an a half atween us. The tattie field rose steeply frae the lochside tae the road, which still exists in the same place, even aw they years later when I'm writin this.

My bike when it cam wis a Rudge Whitworth, an cam on the train aw the way frae Dumfries tae Aberfeldy. My auntie in Dumfries kent somebody whae had ane for sale, an it wisnae new, but in guid condition. Dad helped me get my balance on twae wheels. Aifter ane or twae

Saturdays' practice I could manage! Dad cycled a bit an when I had walked up tae the bike it wis my turn. I cycled on past him for a bit an then got aff further along an left it fir him tae dae the catching up.

Mum had a bike which wis caed a 'sit-up-an-beg' because it had sic a straicht frame. It wis very heavy an wis made near Mum's auld hame at Closeburn, near Dumfries, which wis whaur the bicycle inventor, Kirkpatrick McMillan had leeved. It hadnae got a bell but a bulb thing, which made a tootin soond. Mary uised that bike. So we both now got tae bike tae scuil. It wisnae as far as walking, yet it must hae been – it must hae been the same really.

Sometimes at nicht Mary an I played at boxers, wi me as Benny Lynch an her as Tommy Farr. Oor boxing ring wis the fireside rug, oor costumes navy-blue knickers an oor vests. You couldnae fecht wi bare knuckles o course, an that wis how the game hid tae stop because Mary's nose bled aw ower Mum's sheepskin mitts.

I learned tae play draughts an we had a family game o dominoes ivvery sae often. Favourites though were card games called 'Auld Maid' an 'Stop the Bus'.

We wrote oor ain plays an acted them oot on the stairs. This seemed ideal as a stage. The stairs were a new fangled area for us nivver ha'in had these afore. They became oor play area – stage, battlefield, castle. Oor imaginations were the only limit.

At this time we hid an Indian sodger tae stey. He hid suffered frae Malaria an when his Unit, the Sikh Cavalry, moved on frae their campsite at the village, he wis ower ill tae traivel. So they aw left, pack mules an Arab horses an aw, an left him wi us fir the interim. Mum made room for him. He spoke juist a wee bit English. We ca'ed him Malachi, but this wisnae his real name. He used his hauns tae show milking an asked fir 'malachi' so that wis hoo the name stuck, as I dinnae think we could pronounce his real name richt. He must hae felt the cauld a lot as I believe he wis quite ill. Ae time he fell asleep at the fireside an burnt a hole in his socks *when he wis wearing them*. He wis tall, turbaned an usually immaculate, an fir a whilie I was ower spellbound tae try tae converse wi him. I dinnae mind on how long he did bide but by that time we'd got tae be guid freens.

Mary wis a dab han wi the melodeon, button key, an aftimes I played the rhythm on the spoons or wi a comb-an-paper. We played tunes we had heard on records o Peter an Daniel Wyper an Will Star on the gramophone. Malachi liked tae mak rhythms on pot lids, an could do Scottish Country Dances, like Caddam Woods, alang wi us. Our gramophone wis in a tall wooden cabinet an had fower wee short legs. It wound up an hid 'Governors' which kept the turntable runnin evenly. My auldest sister Jean's husband taught me tae pit a duster under the sound box tae mak the records sound funny, but best o aw as he wis mending it ae day he left aff a Governor, intentionally, an we aw fell aboot laughing at the way the voices raced.

Letter Tae Johnny

We had mair visits frae family members here as it wis mair accessible, an I got tae ken my brother Bobby's sons. I wis their big auntie an it made me feel guid no tae be the 'bairn' aw the time. I also saw mair o my sister Phyllis, the ither redhead in the family. She had been working at St Serf's Nursing Home in Newport, but aroond this time became a Station Porter, as there were nae men aroond tae tak on they jobs. She ayeweys minded on birthdays an Christmases an aboot this time she gaed me a sort o wallet thing that had matching notepaper an envelopes. It wis a new idea tae me tae write letters an I decided there an then tae write tae Johnny Cameron. This wis the jist o it an I nivver did get ony answer.

Balnearn
Fearnan
By Loch Tay
Perthshire
Scotland
Europe
The World
The Universe

Dear Johnny,

We hae flitted noo.
In a way it's exciting tae be somewhere new, but I'm hamesick for Burnfoot aready. You will get your dad tae mak shair Scottie's aricht won't you? Naebody could tell me what wis going tae happen tae him.

Do you hae pups by now? Dad thocht you micht.

Next term you probably won't hae schoolgirls jinein you tae walk tae the road. But you are auler noo like me an I expect you can manage fine on your ain.

I hae an uncle in Dumfriesshire who has a flying helmet like yours. He is maried tae Mum's sister an is a test pilot. That is an important but dangerous job I think. Mum says 'dinnae keep ask, ask, asking'.

I expect that's what you could be when you're auler, if you get the chance. I still think I will be a nurse when I am grown up. My Mum's blood did not bother me that time she cut her wrist, but she says she wisnae frichtened either, because I wis there tae bandage it up. She has a white scar though noo as a reminder.

We hae seen a boy an girl whae will be going tae oor new scuil an they hae bicycles. Dad says he will try tae arrange fir a bike aifter the tattie holidays, if I work hard. Aff course I will. The bike will hae tae be second-han though, new anes are faur too dear, an nae bike wid ivver be as guid as Scottie. The dogs are aw richt.

Your Freen, Betty.

A Very Brief Encounter

My glamorous Auntie, Phyllis, ane o my mum's sisters wis married tae a very hansome man caed Robert (Bobby). Aunt Phyllis worked at the munitions factory ootside Thornhill, at Carronbridge.

She wis great fun when she paid us visits, an sang rude songs which she had learnt frae the ither factory girls. One wis '*Praise the Lord an pass the ammunition*' which wis supposed tae be what the factory girl said when she swallowed the bullet!

Bobby Bone, her husband, wis a test pilot, an I dinnae ken whit age I wis when he took me walks alang the Nith ae time when I wis visiting. What I dae mind on is the '*World Natural History*', a lovely book he gave me, an tae which I hae referred mony, mony times. My adopted Uncle wis hooever killed on a test-flight, an my hairt-broken Aunt Phyllis went tae leeve wi relatives (mum's sister Lisbeth an her husband Earl Tobin) in Canada, as suin as the situation allowed.

Hazelnuts and Moffat Toffee

There were mony trees roond whaur we leeved noo, hazel an birch maistly. We wernae allowed tae tak lilac blossom or hazel catkins indoors, as this wis ane o my mither's superstitions. Hazel catkins were ayeweys kent as lamb's tails an it wis supposed tae lead tae a poor lambing, tae tak them in! So afcourse we couldnae tak the risk. We collected hazelnuts in the wuids bi the loch when we were oot for bike runs in the autumn, as hazelnuts were abundant aside Loch Tay an Fearnan. We stored them in the big barn halfway up oor track.

This wis the top half o the new byre, bit as it wis built intae the slope wis a funny sort o shape, wi the stalls ablow, an abune them this big barn wi a pair o wuiden doors where the hay could be forked in, aboot ten feet abune the track.

This barn was lovely an warm usually an quite airy an modern compared tae Burnfoot.

In the hazel wuids beside the loch Dad had cut some straicht branches tae season, fir makin crooks wi. Mum didnae like the smell o the singeing o the rams' horns when he made the actual hanles fir the sticks. My big brother Jim wis very guid at that an won prizes for his fancy crooks, an noo that I wis auld enough he made me my very ain nibbie-stick, as Dad's ane towered ower me still. A shepherd's crook or nibbie-stick could be made frae various materials, but the anes I grew up wi were aw frae hazel. Their design wis different though, depending on the region whaur they were made, an this wis slow tae chainge, fir it seemed that different places hid different styles, and stuck tae their ain.. They were o course a tool o the shepherds' trade, just as much as his dog wis. The horn fir the hannle wis often spoken-fir lang afore it became available.

We oftimes aw went hunting fir mushrooms an aince found a huge white fitba-sized ane caed a puffball. I kent the kind o powdery anes that blinded the sheep, but this wis edible. We ate this ain fried wi garlicky butter an some shallots. It wis really, really guid.

Mum wis quite a guid cook I think. She made toffee fir Halloween an let me help. The recipe wis SECRET so I cannae tell you even noo. This is because she made a promise when she worked in the Mofat Toffee Shop, as a young lassie. But this is how it wis done: Pit doon some papers on the flair where you are goin tae work, an that should be ahint a door wi a guid coat-hook on it. Mak the toffee bi your favourite recipe, then you pu the toffee wi oily hauns when it's cooled a bit, an winnae burn you. The first bit should be done till it's pale gold an shiny, the second till it's a clear broon an transparent, the last because it's no stretched sae muckle, steys whiter an you cannae see through it. Then you twist them thegither an chop up the sticks wi scissors first ane angle an then another, till you hae wee plump stripey cushions. Magic.

Clootie dumplins were made fir ony special occasion, Birthdays, Christmas and so on. They had wee secrets inside them. We were allooed tae wrap up special 'favours' in greaseproof paper an drap them intae the mixture afore it wis wrapped in its cloot. These were things like a siller sixpence, a wee cheeny doll, a wee totty thimble, a bachelor's button; These were fortune-tellin things an dependin on who got them in their helpin, meant different things.

Maist o the cookin wis done on the top o the hob as the heat o the oven couldnae be controlled awfu easily, an onyweys we ofttimes hid kindlers in there dryin. My best haun at cookin wis makin wee dumplings ca'ed dough-balls that were steamed on top o the stewpot, maistly rabbit, and I wis a dab-haun at them.

Dad an I spent ages a hale aifternoon shelling hazelnuts an mixing in raisins, that we begged frae mum. Then we hid a feast fit fir the Gods. I wis allowed tae invite some freends tae a pairty in the hayshed. We hid Halloween games:

The apples got ripe an they all fell down
all fell down, all fell down
There came an auld woman a picking them up

I liked the way it went back tae the beginning:

There grew an auld apple tree over her head.
O—ver her head.

Ha'in freens hame wis a big chainge for me and afcoorse as the nichts crept in they hid tae gae hame smartish an ha'in them hame didnae happen sae aften.. We hid few lichts in this time o austerity an blackouts, an if the grown-ups uised them on their bikes they had tae be shaded doonwards ontae the road.

Dad showed me how tae mak ash whistles in the Spring, an like crooks this wis anither ploy that needed lots o patience. Charles Murray, had written a poem caed *The Wee Herd's Whistle* which we read aboot at scuil an this set me the task o finin oot aw aboot 'a sappy sucker'. Half an inch in diameter an aboot six inches lang, the bits had tae be cut when the sap wis risin. You ringed the bark wi a knife twae inches frae yin o the ends. Then, as it says in the poem, tap it aw roon wi the knife tae loosen the bark, twistin it when it's ready. Then ye've tae pit the bark back on an mak the holes an the smiling bit fir the moothpiece. It can mak a fine tune if done richt, bit it dries oot fairly quickly sae ye cannae keep it ower lang.

The Place, Land of Breadalbane

I liked gettin tae ken the names o aw the bits roon aboot whaur we leeved noo. This area wis caed Breadalbane:

Frae Kenmore tae Benmore
The lan is aw the Marquis's
The mossy howes,
The heathery Knowes
An ilka bonny park is his

So runs the song , aboot the Marquis o Breadalbane, written, I think, by a local man, James McTavish.

Could Schiehallion really mean the Sugarloaf Mountain, I wondered? That wis Bobby again, maybe telling me tales. I liked him, but didnae believe aw that he telt me. What wis the real history o Ben Lawers, an aw the fowk who hid once leeved there?

When the news came that we were aince again tae move at term time I felt that I hid things tae dae.

I made up my mind that afore oor move happened I would cycle tae Kenmore an Killin an ither places juist tae see them properly. They were guid places, fine places, I thocht, an I needed tae get a proper feel o them afore they slipped through my grasp. I would hae liked tae gae roon the dark side o the loch, as it looked shadowy an mysterious. Frae the landin window I looked oot tae see lichts at nicht whaur fowk like me leeved, but aince the blackouts went on they disappeared, an aw that wis left wis the ootline o the hills, the wooded hills, which were only noo becoming familiar tae me. On freezing nichts the wind raged aff the loch an broke some branches aff the trees whiles. Snawdrifts sometimes blocked the shore road fir miles. But I best liked tae see the white-capped waves run up the surface o the water.

However I felt I hid got a feel o this side o the loch, an a sense o its past.

Alec, Ann, Mary & me

Betty & nephew Jim

Betty & Speed

Betty as a teenager

Betty on a Wool Sack

Brother Bobby and dogs

Fred (me on his shoulders), with Mary & doll

Mary, Ann, Betty and Alexandra

My Mum

My Dad

Brother Jim

School car with Old Bill

School days

Scottie

Scottie

Betty 2017

Part 3

Move to Findhuglen

Another Threshold

Here we go again, the Cannons are on the move aince mair. We set oot fir oor new world, an aw that we needed, in fact aw oor belongins, were piled up intae a lorry, fir forward transport, eventually ontae a slype an thence tae Findhuglen.

Nae upstairs here, nae runnin water inside, nae ivy an nae yellowhammers…

Aw that seemed tae hae been wiped oot, erased, an we hid tae stairt ower again wi a clean slate: tae mak new freens, where I had a new scuil and anither new teacher. No even Mary wi me noo, as she was able to leave school ha'in become auld enough.

Snowfire and Nibbie-sticks

Helen Cruickshank's poem '*Background*' started me thinking o chapped knees, reid raw abune weelie-boot tops. My bowl o porridge had been kept warm in the oven at the side o the range for when I got hame frae scuil. How that nutty feast, wi a bit o a crust on it noo, sustained me when I set aboot my snowy chores, fetchin logs an water. ...The seasons seemed tae be measured bi watery tasks.

Mum nae longer hid water on tap inside this house. Oor water source wis a spring on the hillside no far frae the back door. Mum's hauns were showing signs o the rheumatics that were tae plague her auld age. She got hacks on her fingers, but usin 'Udsal' on the coo's udder when she was milkin, helped keep her hauns supple. The Udsal didnae help later on tho, an sometimes you could see her hauns were fair stoonin wi the cauld. I wonder if using Dad's 'tattie' would hae worked fir her? Or even using an adder's sloughed skin as a hat-band? Some o the locals swore that this worked! (Although she didnae wear a hat tae work in, oftimes wearing an auld beret, especially for leaning agin the coo's flank when milking.)

For many years she bore a scar on her wrist, white against the brown, relic o when the wee knife she used for scraping the dog's-pot hid slipped. This auld knife wi a broken half blade, she kept tucked intae the turf at the side o the watter-spoot. Ae day, because o cauld hans I suppose, the knife slipped, an carved a crescent intae the front o her wrist. I think the bleeding wis no too bad at first but by the time she got inside she needed tae sit doon. I had tae be telt whit tae dae but aifter that pu'ed the edges o the wound thegither firmly an wrapped it tichtly. Aifter a while an lots mair padding the bleeding stopped. When Dad cam in he prepared hairs frae the pownie's tail (just steepin some in bilin water) an wis ready tae sew it up. However it hid stopped bleeding so they left it alane an next day decided that it would heal if it wis taken care o bi boracic lint an mair ticht bandaging. It did, but she ayeweys had a visible white scar an often looked ower at me when she fingered it. That Christmas my sister Phyllis sent me a nurse's outfit, in a box, almost as guid as a book! Looking back it seems that Phyllis wis eyways clued up in the richt thing tae send me. As adults we were perhaps the closest o the fower sisters.

Winter mornins maist often meant uising the shovel oot the kitchen windae tae dig awa the drifted snaw frae the porch door. (The shovel wis kept inside in the winter for juist sic a contingency.) This wid itherwise shower us wi soft snaw when we were glaikit enough tae open the door withoot caution. The door opened inwards an aifter a bit we could open it an shovel awa a flat surface o piled up snaw in order tae hae access tae the water. Aince again, as at Burnfoot, we had nae water led intae the hoose. Buckets frae the wash-stan were filled ilka morning, even if this meant breakin ice wreaths that hid formed owernicht at the spoot frae the spring. If the coos couldnae be let oot o the byre they needed fed an had tae be watered as weel, so quite a few extra bucketsfu were needed. On ane occasion I had tae fight aff an enraged water rat an covered it wi an upturned pail until I could get my parents tae tak action. The spring wis situated just beyond oor 'gairden' mairch-dyke on the edge o the hill, through the gap in the dry-stane dyke. There were twae buckets, ane galvanised, an the ither ane enamelled. Aince filled they had tae be taen inside, lifted ontae the washstand an then I could gae tae scuil. O course the same procedure needed carried oot when I cam hame.

Many times when I wis sma Dad would jokingly say tae me *'Square up yer humph, yer goin fer dung'* an this maks me think that my posture wisnae guid even then. I wonder what pairt carrying aw they buckets o water played in that?

Spring mornings were easier, the skylark's song whiles chummed me at my task, an daylicht hid fully arrived afore I set aff fir scuil. Feathery crystals sometimes still clung an bent the long grass doon oot o the sun's rays, an I could often find an icicle, which wis marvellous tae sook. I wis even excused lateness tae scuil in spring as, though still wee bi some standards, I had another task on Cnoc Brannan. I wis entrusted tae see that ony new lambs were allowed tae suckle so that they had the strength tae follow their mithers when they moved aboot tae fin the richest grazing. I had a whistle tae let my dad ken if aw wisnae weel, an o course my ain wee nibbie-stick, made by Jim my auldest brother, wi which tae catch the ewe if I needed tae.

By summer, water carrying wis nae langer sic a chore. Maistly, nae school meant I hadnae sae muckle need tae hurry. Sometimes I helped mum fill the big iron biler if she intended daein a washin. We tramped blankets in either the oval zinc bathtub or the big wuiden ane wi the metal hoops roon it, ower heavy fir me tae move when fu, but empty it could be rolled intae place. Aw this took place oot o doors, so her choice o day depended on an accurate weather forecast. The auld rhymes *'Reid sky at nicht'*, cam tae mind. When Dad went oot o doors last thing at nicht *'tae view the policies'* he uisually cam in wi a pretty accurate weather forecast, fir the next wee while. This surprised some folk, but the men must aw hae been guid at this as gaitherings an other shared labours got underwey withoot phonecalls or messages tae alert each other. Sometimes the postie carried word-o-mooth messages, but aften it wis *'We'll mak a start the first dry day aifter the weekend'*. We nivver even saw a postman, ony mail we had was left at the fairmhouse an collected when we went tae scuil or tae the van fir oor messages.

The claes biler had a fire lichted under it when a dry wash day cam aroon, an claes were washed in strict order, whites first, an so on. There wis a jelly-like slaister in a jam jar made frae aw the ends o soap an kept just fir the blankets.Oor uisual soap being red Lifebuoy or yellow Port Sunlight, hacked aff blocks an aw jagged at the edges an sair on the hans, till mum had got a 'guid sapple' goin. The smells were quite distinctive an when we stairted tae get peely-wally green bars o Fairy soap, I discovered hoo muckle the ithers hid irritated my nostrils. Mony years later Lux flakes were aw the rage an made us feel like Royalty when we washed oor 'smas' wi them, especially if we uised the saft water frae the rainwater butt. Rainwater wis used whaur possible as it lathered better. This water wis soft an silky an wis ayeways uised fir oor hair. We had a big rainwater butt at the corner o the hoose. Dad 'scraped his pig' wi rain water tae, an uised a badger-bristle brush tae work up the lather on his chin.

Autumn water wisnae chilly but slichtly limpid. I would cup my hauns under the spoot an drink deep. At least it seemed tae be fetched inside in a dream as I thocht my wey through new scuil terms an new subjects an sometimes, new freens. The hills were purple wi heather an aften noisy wi bleating ewes as the lambs were speaned an taen aff tae mairket. Spiders' webs would be ivvery where, strung between tall buff grasses, the low angled sun hitting fine droplets o shining water, each web different an mair perfectly jewelled than the last.

My hobby o reading had noo turned intae a yearning tae write, an often when lying in bed I would beg tae be gaen some extra leeway wi the lamp as I desperately needed tae finish a piece afore my thochts would allow sleep tae come.

Sunday Observance

Oor Church in Glenartney wis a lovely auld building, an, like mony ithers, positioned at a point where twae rivers met (a magic place?). It wis only put tae uise aince a month, an the Minister drove up frae Comrie, so the service wis later than the usual in toons. My sister played the organ, an very weel I believe, but sometimes the organist frae Comrie cam. It wis an unusual thing for sic a sma community tae hae their ain organ an we were proud o oors, an o Mary's skill. Ae month the Minister got his dates wrong an failed tae arrive. Undeterred we sang oor hymns an hid a short address frae Sheuchcan. Another month the Minister found he had only ae member in his congregation an he reported that he suggested tae auld Tam that they juist retired tae the vestry an made a cup o tea. Tam wis affronted an said as much tae the Minister. *'If I turned up tae feed ma ewes, an only yin appeared. I wad still feed her, ye ken.'* So they went back intae church an the sermon wis delivered, the full hour an a half. *'There,'* said the minister, *'did that suit you better?'* Tam's reply, *'Weel a course Ah'd feed the beast, bit Ah widnae gie her the hale damned bagfu!'*

Ha'in oor ain Glen Church added tae the feeling o community we shared. We did, o course, hae restrictions on the sorts o things that were acceptable behaviour on Sundays, in that we couldnae cut oor nails, or oor hair, but my parents didnae like tae put ower mony restrictions on oor activities, an we could read, play wi toys an so on. We shouldnae hooivver play card games an Deil's work o that sort!

It All Depends on Your Point of View
or
There's Aye Twae Weys O Lookin at a Thing

Bill Duncan in *The Wee Book of Calvin* quotes mony utterances o his Granmother.Noo while I agree wi him in mony instances, ha'in had a Granny that wis aye lookin on the black side o things, my ither Granny could conter aw they catastrophe theories wi a wee bit o hamespun counsel o her ane. Fir instance *'A flickerin licht ayewiz gaes oot'* micht be met wi, aye bit *'a creakin gate hings the langest'*. She had deep religious roots indeed, but wisnae a prophet o doom. *'Hard work never kilt naebody'*, an *'if ye cut yer coat accordin tae yer clout'* aw wid be weel, an life's rewards wid meet yer expectations.

My doots arose when I wis telt *'no tae craw sae cruse'* when aw I wis doing wis being justifiably prood o some achievement. However it seemed I wis callin the fates doon on ma heid.

My mither, using a biblical metaphor, which she wis wont tae dae in times o need, said I wis quite richt tae question, as it wisnae set doon in tablets o stane, an we were free tae chose the path we took. For instance *'if ye aimed fir the moon, even if ye missed, ye were bound tae land among the stars.'*

'Free,' says Duncan, *'is incongruous in the context o the Presbyterian household.'*

But *'hing yer dreanms on a star'* ma Granny H would hae said, while the other Granny thocht I had *'ideas abune ma station'*. Oh weel *'ye cannae please a'body aw the time'*. She wis a wee fechter my Granny H. Even if *'somebody had stolen her scone'*, an even if things were as *'black as the Earl o Hell's waistcoat'* she wid nivver hae lain doon till the lid wis bein pit on her coffin.

Another example o making the best o things comes frae an unlikely source, that o Sheuchan, a neighbour on the Comrie road. When he saw us he never had much tae say, bein unused tae weans, but passed by wi a *'Tickety-boo'* or similar phrase which I'm afraid made us choke wi silent laughter. Mum said it wis frae his days in the army, in India. Once we were sledging doon the road, juist abune his house, ha'in travelled a long wey ahint the snawploo. There would hae been Margaret McRae, Agnes McLaughlin an masel. We offered him a shot an he gamely had a go but fell aff. I mind-on his face as he hopped aroond in the middle o the slippery road crying *'My God, girls, you've burst my boil!'* We were terrified that we hid done a great wrong, but I think the result wis guid even though it must hae been extremely painfu, if as I suspect, the boil hid been in his 'nether regions'. Anyway as he hirpled aff indoors he wis almost smilin!

My mither hid an auld iron-framed bike that cam wi us tae Finhuglen, an noo she cuid uise it on an occasional jaunt tae Comrie. It was kept at the McLaughlin's, an she hid a couple o miles tae walk tae pick it up.

Sometimes she did shoppin ither than messages on they jaunts an I could be shair that onythin she bocht fir me wid be green. She kent that wi my reid heid the colour wid suit me. So if I made ony protest I'd be telt tae '*haud ma wheesht*'.(Phyllis hid an idea aboot this an thegither we set to an made pom-poms, as bricht as possible an threided them through the neck o a plain green jumper.)

My shoes were 'Birthday' make an juist kept goin up in size as I grew; wellies an baffies were haun-me-doons an no worth a docken when I'd done wi them; I wis aye scartin amang the glaur, an endin up lookin a richt ticket. *'Dae ye leeve in a field Betty? Weel then, wipe yer feet an sneck the door,'* kept ringin in ma ears.

Chrissie, wife o John, the 'orra man' wha worked at the fairm, was a spinner an dyed the wool she worked wi efter she'd spun it, wi moss an lichen frae roon aboot the glen.The hanks usually ended up green an broon and since the wool she cam bye was Black-faced, gey coorse an scratchy tae wear. Aince dad got her a Cheviot fleece an this wis safter an she dyed some a bonny blue. So I got a jumper that I really liked fir aince.

I begood tae be able tae work the auld Singer sewin machine an made Mum a couple o dresses which were really guid, wearable garments. She hid a bad hip, an I even let in a panel so that the skirts hung nicely, an no up at ae side. Moygashel wis what the material wis ca'ed an wis like heavy linen. Wi the help o my Aunt Lisbeth, Mum's aulest sister, a wheen years later, I made a dressing gown an some pyjamas fir uise when I startit work at Brig-o-Earn.

Condy Cleugh

Dad's possessions were mostly useful items like tools an necessities but a few other things were prized for different reasons. His leather razor strop hung up behin the porch door, an he used it tae hone his 'cut-throat' an his skinning knives. They were kept in a sma drawer in the dresser. In there were also twae pairs o hair-clippers o different sizes. Wi these Dad clipped oor necks wi the tickly machines so that we were ayeways neat an tidy. Some o the men on clipping days asked Dad tae see tae their hair for them especially if they were aboot tae gang onyplace special, like a family wedding, as he could mak sic a guid job o it. These clippers only pu'ed when no properly sharp. Another lesson learned! I had a lot o unruly curls, like Grandad Haining, so a session wi the sma-tooth comb wis very painful, but this seemed tae occur wi great frequency. This wis my mither's job, an happened oftener when the traiveller bairns attended scuil in the winter months.

Dad carried aboot wi him in his pocket, a succession o tatties, which had their role in keeping his rheumatism at bay. These eventually became hard an highly polished. I dinnae ken when they ceased tae be effective but occasionally they were replaced by another medium sized tuber. Several auld anes lay in a drawer for a time a while back. They didnae deteriorate ony further.

He an the ither fairm workers had aince gone on an outing tae Glasgae tae the Empire Exhibition. There they were gi'en a souvenir o nail-clippers, which had an enamel scene on the haunles, tae mark an exceptional occasion. They were gey wee an no much uise, fir their purpose. Also in his drawer wis a broon an gowd silk handkerchief, definitely 'no tae be uised'. Here he also kept a pocket watch, haunded doon through his family, which had on its chain a large Cairngorm swinging on a wishbone shaped fob.

In this drawer as weel wis a broon cardboard box wi metal corners in which his dentures had been posted tae him! How did onybody ken they'd fit? They had dark red gums, gutta-percha, I think. Also at some stage he had acquired specs, his *'windaes'*. Later on though, he wore dark glasses quite a lot, since when he got auler his een became weak. My dad who could see tae the tops o aw they hills! His soft hat, semi-bleached an wi nae hatband wis usefu as an eyeshade.

He needed his skinning knives for twinning lambs, among other things, an they were kept wrapped in oiled silk in the sma'est dresser drawer, when no in uise. Ae possession which wis invaluable tae Dad wis an auld black 'pingle' containing beeswax an a paintbrush wi which he regularly treated his buits. The beeswax wis melted on the fire, causing an awfu stench. My mither preferred him tae dae this when she went tae the van as the smell had dispersed afore she hid cam hame. This mixture waterproofed his footwear an wis especially brushed intae the welts o his Herd Laddies. Dubbin wis sometimes uised when available. His buits were laced wi thongs o leather, which came in a strip an were sliced aff as required, these he ca'ed his *'pints'*, meaning, I think, points.

Then there wis the 'Black Box'. This box wis aboot 12 by 12 inches wide and 16 inches high, wi a lid aboot 1 ½ inches deep. This wis in black lacquer wi stylised Chinese trees an blossom in gold an red as decoration. This box held oor history, or so it seemed, since it housed Birth Certificates, Marriage deeds an oor penny-a-week insurance policies frae the Prudential, an kept aw things in order; nothin in there wis allowed tae gang tapsalteerie.

There wis a wallet wi sma windaes for coins in the inside o it. These held coins which were never uised, like a sovereign an a groat.

Like his mum he had a special clock. Maybe this only came tae us aifter her death, I cannae mind. It stood on the top shelf o the sideboard, the same sideboard that Jimmy Simpson grained, an wis held there by a metal chain across the back, as the clock wis tall an heavy an the shelf wis narrow. But the clock wis in a guid position an could be seen tae advantage. It had a wooden gate across the front where you could see the pendulum swinging. Once it nearly came a cropper. Mary an I were fechtin for possession o something or other an we bumped hard intae the sideboard. It shoogled an had it no been for the chain the clock would hae tummelt. What did fa however wis a bonnie wee salt an pepper which took the form o a coster-monger wi a basket at her feet (salt) an ane ower her airm (pepper). We managed tae mend it at ae point, but it stood on the dresser as a reproach tae twae unruly bairns fir quite a while.

Mrs Bain, Mrs Renton an the Fair Isle Twins

Tae get tae school at this time meant a walk o aboot twae an a half miles bi track alang the banks o the River Findhu, firstly crossin the wee tributary at the ford or goin further up tae a flat wuiden brig..Oor wuiden brig had a haun rail, but sometimes the snow-melt or storm water rose tae lap the underside or even flood ower the decking, making it quite a challenge tae cross. Ha'in survived aw that I then met the Macraes whae leeved on the opposite side o the burn at Auchnashelloch. We jined up at the Kirk an walked the last half-mile thegither. They could leave their cottage when they saw me comin an be on time. Afore meeting them, hooivver I had anither Rubicon tae cross. At Burnfoot it had been the bull on the odd occasion we went tae Kippen, here it wis the herd o Hielan cattle that roamed free on Cnoc Brannan. Maist o the year it wis a'richt, but if they hid calves, they were gey treacherous. On ae occasion I hid unkenningly come atween 'Mrs Renton' an her calf, which wis oot o sicht in a fauld o grund, an I wis saved frae a goring bi Dad appearing on horseback, during a routine check, an he threw me across the front o his saddle and got us oot o the wey till she hid 'cooled aff'.

The children frae further up the glen jined us at aboot the same point as the Macraes though on occasion they could be delivered by car or mair likely horse box if someone wis coming doon frae 'The Tops'.

We carried a piece tae scuil fir midday, an this would often hae cheese as a fillin. Agricultural workers got extra rations o cheese; I could never work oot how the grocer-man sortit aw these things oot. My cheese wis usually eaten 'en route' an sourocks substituted when I got tae scuil, where nice juicy anes grew. We were allowed tae mak cocoa on the school stove in cauld weather. The makings for this wis dried milk powder, cocoa an sugar carried tae school in an oval Colman's mustard tin which held just the richt amount.

The scuilhoose wis set in a triangle where three roads met. The road frae Comrie tae the scuil, the road frae the Tops tae the scuil, an the road doon tae the fairm that was where Agnes McLaughlin an her family leeved, (an later John an Chrissie).The playground was divided bi a burn running through it an this wis crossed by a wee stane brig. In the pinty end o this triangle wis a sma conifer wuid, an at the back o the scuilhouse, a dry lavvy, in a wee wuiden hut.

Aince again I hid a teacher I cuid really admire – Mrs Bain – she knew the circumstances o each o her pupils, an wis liked by oor parents as weel as us. She understood the weys o the glen. At lambing times, I could come in late withoot criticism, as she knew I'd been tending tae the flock on Cnoc Brannan. In winter the threat o a storm an I was sent hame early; afcoorse others received the same treatment. Torquil wis aften excused, mair than the rest o us, if he'd to catch some o the deer ponies for the shoots.

It wis aince again a yin teacher scuil an we hid practically individual tuition. If we showed an interest in a parteecular subject, room wis made in the curriculum tae study that, at least at some level.

Robert an I were the twae pupils nearly ready tae move on, an I think she gave us each a great deal o quality time. Robert was ages wi me and we baith left tae attend Secondary school in Comrie, at the same time. There were few other pupils, the Macraes, and some others, sometimes Traiveller weans, but we were aw in ae classroom and aw various ages.

Mrs Bain left, her place bein ta'en by Miss Leslie, when she retired, an we were aw sorry tae see her go, bit I kept in touch, even aifter I hid left scuil masel.

There were twae Miss Leslies, but we seldom saw ane o them; she wis the teacher's sister, an seemed to earn a living wi her knitting. The scuil an scuilhoose were the same building of coorse an Miss Leslie, would dry her beautiful Fair Isle garments stretched on wooden frames in the scuilroom beside the pot-bellied stove. She didnae only mak jumpers bit gloves and mittens, an sometimes hats and scarves as weel.

The 'Big Elk' band wis a favourite pastime at oor playtimes, an wis played in a 'den' we had made in the sma fir wood, which filled in the triangle where the school sat at the fork o the road. I think it wis just a guid way fir kids o various ages tae get thegither an mak a lot o racket. We revelled in the wind through the trees, in that draughty spot. 'Big Elk'? I think that wis because we sometimes wore tree branches as headdresses!

Miss Leslie became kent as ane o the 'Fair Isle twins'. They leeved in the building o which pairt wis the scuilroom. So they didnae need tae go ootside tae gae tae work. Mrs Bain hid understood the family situations o us aw an acted accordingly. I wis sent hame early when she could see storms brewing in the fauld o the hills, an she expected me tae tak the path up the shooder o Cnoc Brannan on those occasions.

The 'Fair Isle Twins', the Misses Leslie, were a very quiet pair o sisters. They must hae existed on ae teacher's salary an what the auler twin could mak frae her sales o knitwear. In the scuilroom there wis usually some beautiful craftwork on a stretcher near the fireguard, drying. The intricacies o the gloves, hats an jumpers were truly astonishing tae me, uised as I wis tae Chrissie's wool an mum's work which wis practical rather than decorative. In my teens when I mastered Fair Isle knitting, courtesy o Mrs Cuthbert's tuition, I really felt a glow o achievement.

We hid vans come as far as the scuilhouse an fairm; messages, bread, oor letters etc. could be left there. Mum tried eyways tae meet the baker's van an could then walk hame wi us. Mum's square basket fitted twae plain loaves o Scots breid. We ca'ed the wrapped loaf that can be bocht nooadays a 'half-loaf'. A loaf as I knew it wis a pair o loaves wi dark brown crusts, (nae wrapped breid) an they were pu'ed apairt afore uise. Tae be pan-loafy wis tae be ower refined an up-market, in oor een. Onywey we rarely saw square shaped breid, but naebody could beat my mum's girdle scones an bannocks, so we werenae missing onything.

Sometimes we had a horse an cart, or slipe, for neeps, tatties, coal an wuid, an a bale or twae o fodder an bedding fir the coo. (Oor coo had tae be walked tae the farm juist past the scuilhouse when she needed ta'en tae the bull, an it took Dad a hale day tae get her there an back).

We carried oor ain mail frae scuil. The mail wis eways dropped aff there during term time.

When the dreaded envelope arrived, I wis the ane whae hid tae deliver it. Jack the post an Mrs Bain had a confab aboot it, an I knew frae their faces that something *wis up*. My mither couldnae take it in at first, but then sent me across the burn tae whistle up the hill fir ma dad. They were baith fair dumfoonert at first, an it took them a wee while afore they telt me the news o my big brither. Despite the ominous words 'Missing believed killed', Mum couldnae really believe the War Office telegram. Nae tears were shed at least in my presence. She hid recently hid a letter frae Fred frae the War Zone, an she worked oot that it wis dated aifter the date o the offensive mentioned in the Telegram. She then decided tae write tae the War Ofice wi this information. Aifter much deliberation as tae content, the letter wis penned in her clear han an sent aff. By return cam an answer requesting confirmation o details an if possible they wanted sicht o Fred's Airmail. Mum did send it tae them but said she wis *'fair black affronted'* as she'd used its outer page tae practice writing the letter 'Q'. She normally had little use for this letter, an still wrote it like a large number '2'. Mary an I had telt her that this wis *'not O.K.'* an she had been practising tae get it richt afore sending the first letter tae 'Head Quarters'. Still, ashamed or no, aff it went tae the War Office at Whitehall. My brother wis finally traced tae a field hospital, frae where he wis much later discharged, ha'ing been awarded the Military Medal for Gallantry in Action.

Sheep dogs and the White Cliffs of Dover

I got on weel at scuil. I wis keen tae learn an my favourite subjects were Nature Study an English. But scuil holidays were special. They stretched afore me; gowden hoors o liberty, wi nae ither bairn fir miles, freedom frae regimentation, naebody tae mak demands, the scuil holidays were bliss. Nae need tae conform, wear uniform, at least for noo. Teenage clumsiness vanished. I could skip like a bairn or float dreamily aboot, adopting airs mair suited tae my elegant Aunt Phyllis. Awthing wis possible; I could pu the sun oot frae ahint a cloud an let it spread the freckles aw ower my pale face.

We didnae mak hay here, unlike Burnfoot. My dad gairdened, but only a wee bittie; a wee tait greens an a few saft-fruit bushes. We had ae lilac tree, an my mither's indoor geraniums. A bleak moor indeed, but a wonderful area jist the same. There were blaeberries tae gaither an mountain averns if you went up tae the tops. An in the hills the wee burns purled ower stanes, the hurlygush singin tae me as I wrote. This wis the chance tae get up tae date wi my journal, writing up secret dreams an thochts that I shaired wi naebody else. Mibbies, although coming frae a large family, I wis a solitary wean, as the others hid aready flown the nest, spreading their wings in their different weys. Pencil in han I sketched my surroundings; minuteness appealed tae me mair than the grander view. In an oasis o peace an self-indulgence, holiday tasks were ignored as I read my fill; traivels were accomplished, even if only in imagination, no continental trips, juist coral islands. I re-established a balance an equipped masel for the year aheid, comin tae terms wi my growth, an incipient adulthood, investing in dreams. *'Hanging my dreams on a star'* as Granny Haining would hae said.

My Collie dog Sailor would be my constant companion, an at the end o ae summer I wis allowed tae run him at Feldy Show. We made a richt mess o things an my pride took a nasty bump. I hid watched attentively an copied awthing my elders an betters did when they trained their dogs. Dad liked tae hae a pup frae a kent bitch, ane wi a guid e'e. We aince had a beardie ca'ed Dan but maistly it wis border collies, Speed, Flash, Maid etc. nice short, snappy names. (Where the name Sailor cam frae I dinnae ken). Speed's death when I wis six hid come as a real sorrow tae me as I hid spent sic a lot o time wi him as my companion. He wis nivver a hoose dog, but as he aged spent less time wi dad on the hill. He died quietly wi his heid restin on Mum's feet, an we aw felt his passin sorely. Oor consolation wis that Dad hid some o his offspring spoken fir. They wid need tae be guid tho tae come up tae Speed's standard.

Commands were ga'en tae the dogs by a whistle, which could be heard frae a considerable distance. Some o the men could whistle using fingers in their mouths, but as I nivver maistered this I had tae uise a whistle. Made frae an auld kitchen spoon bent ower on itself an flattened a bit. Anither thing which wis done when Mum wis no roon aboot! Dad punched twae holes in them, ane at the tongue an ane where the haunle hid been. Intae this last went a looped leather bootlace, an it wis then hung roon his neck.

So I spent time training Sailor an he wis a dab haun at herding hens. Mostly though I think I juist liked his silent company. I wis growing up an must hae been a dreamy teenager, through these hot summer days. I liked tae sit on the hill face where I could catch the breeze an sing Vera Lynn's songs, aboot Bluebirds and the end o the war, as I tried tae understan the concept o fightin an why lots o oor young men were still off in foreign lands. Miss Finlay had never ga'en us a feeling that hostilities would last ower lang.

I hid been shown by my brithers hoo tae set snares, an I knew tae look them ower regularly tae save the rabbits pain, if they hadnae been killed ootricht. Set properly on the runs they were heid-high an should hae finished them aff. Cleaning these rabbits wis usually my job though it wis Mum whae hid shown me how. I learnt aw my biology in this wey an aw aboot pregnancy as weel.

Twae-Man Jobs

The byre at Finhuglen wis fair different frae the last twae I'd been familiar wi. It wis quite lang wi three stalls at ae end an a hayshed under the same roof, wi a pen an some storage atween.

Here I aince had tae treat a coo wi a dropped calf-bed. My hauns were the richt size, although I could hae done wi a langer airm and a bit mair brawn. I wis shown how tae use a vaselined oiled bottle, which gied me a langer reach, tae replace the uterus, an then helped bi my mum we strapped the vulva across in some wey wi wide sling-type bandages. The strappin up tae keep it in place aifterwards lasted mibbe till she passed dung. The coo had tae be drenched, wi drinks o oatmeally water, so that she could regain her strength. The vet cam ower the hill on his pownie, ha'in been sent for via the fairm, an saw that we were copin aright, an that the coo wis getting a strengthening draught tae mak up fir her sufferin. Oor coo meant a lot tae us, ane o Dad's 'perks' bein allooed tae keep the twae, an wis actually pairt o his wages in a wey.

Ane o my jobs wis tae clean up the byre, an if the byre besom wis too new it wis hard tae mak a guid job o cleanin the grip. The auld, tired, worn-oot ane seemed tae me tae work muckle better. The soft low of welcome from a newly-calved coo whose udder wis bulging an needed release, wis somehoo a hamely comfortin soun; an the byre hid different smells at different times o year; fresh grassy dung in spring when the beasts were brought in fir the milkin, an hay an cattle-cake smells when they were inside fir some o the winter.

Up on the rafters I could usually fin ower-winterin butterflees, an marvel at their emergence in the spring, when I could see them dancing in shafts o sunlight frae the cobwebby sky-lichts.

It was at Finhuglen that the arrangements for Mary's job wis sortit. She was noo fourteen and could officially leave school.

Some o the tasks my Dad did he could dae alane. But when I wis aul eneuch I helped wi the twae-man jobs. When I saw the tools bein readied I knew I'd be needed suin. The creaky, shoogly, double doors were thrown wide makin the maist o the pale licht. Baith hay-shed an byre, noo unusually open tae aw, were reekin wi the smell o the absent coos. The tools were raxed doon frae the rafters an the cobwebs wiped aff wi a wisp o hay. Roon aboot oor feet hens squawked an focht ower the spilled grains an bits o crushed cattle cake, as they scratched roond the corn-kist. Lifting the lid I raxed in an foun a locust bean tae pop intae ma mooth. They kept me goin for hoors.

Then moving in an oot o the triangular beams o licht frae the skylichts, an aw the dusty motes, which were steered up by oor passage, we took clews o binder twine roon an roon the shiny grooves in the hallard stane. Then, Dad on the thraw-heuk an me at the twiner, we'd mak ropes. The number o strans depended on what ply we were aiming fir, the purpose oor rope wis tae be put tae aince made. Side by side we'd start oot in the yaird, then Dad set aff tae finish at the farest end frae me inside the byre. Noo it wis my turn. I'd tae keep the tension jist richt. I'd walk stiff-legged like a zombie up tae him, oh sae slowly, the flattened knob o the twiner pressing intae my stomach. This mattered! If the strands got raivelled or kinked noo, we'd wasted baith twine an time. As the twist got tichter the rope got smoother, but aweys developed a life o its ain trying tae pu me alang ower fast. I'd lean back agin the drag, sucking hard on ma locust bean, an ignorin the scrapes an screives, as I braked wi hot fingers an the new cords squealed roon the post. Later, sucking ma knuckles, I glowed in the *'weel done'* frae Dad, praise indeed, as his standards were fair exacting. Then we made coils an hanks o oor results ready fir him tae splice intae bridles an ither gear, when the darker nichts cam in.

Another o these jobs needing twae fowk wis the crosscut saw. This saw wis a muckle big thing, lairger than Dad's usual ane an had a second haun-grip, wooden an upricht, screwed on tae the far end. This wis ta'en oot frae its sacking an oil bandage for serious business, an wis a special joy tae me. No the hard work, although I didnae mind that ower muckle; aifter aw as he'd say *'hard work did naebody any hairm'*. No, I liked it fir the aifternoon spent in Dad's company, the intimacy o it, the wey we could confab thegither 'man tae man'. It wis here that he put at rest ma fears aboot leavin hame at eleven tae gan tae Secondary school in Comrie. Encouraging me tae be the first ane in ma family tae dae that. He said that I couldnae gae wrang if I *'stuck in'* an minded my Ps an Qs. His philosophy wis simple. If I wanted somethin badly enough I'd find a wey o achieving it; but he didnae believe that the ends justified the means, an he expected us tae take intae account the values he'd taught us.

In the woodshed the smell wisnae the same as in the byre – sweet wi logs, sawdust an often resiny lengths o wood frae Grandad's sawmill. Dad telt me aboot the burning properties o the logs we were cutting – holly that would smell lovely when burned an green, sparky fir; an larch. He had a wee rhyme he telt me aboot logs that he minded on frae his youth.

Lots o learnin then wis gained by rote an the use o Scots wis non-grata in schools. But the lore wis gaithered frae his ain experience an observation. He'd say you get three heats frae wuid. The first when sawing, the second wi the axe an the best when you're sat in front o the fire on a winter's nicht. We had a song aboot sooans or watery porridge,

Brochan lom, tanna lom
Brochan lom a sooan

which fitted the rhythm o oor airms as we wielded the saw, aince we'd got past the early 'stuttery' stage. Ower the auld battered sawhorse I wis coonselled an guided in the ways o the world. I didnae realise this at the time o course but wis 'aye speirin' at something or other, an we'd talk doon the sun, afore goin in tae oor teas.

Brochan tanna tanna tanna
Brochan tanna sooan...

Twae loads o wuid were pairt o the 'perks' that went wi a herd's job, ithers being oatmeal, flour an grazin an winter fodder for a 'coo an follower' as weel as for the essential milk coo. Mum kept hens as weel an wis self-sufficient as regards their upkeep an sometimes we'd a pig tae fatten.

The wood wis cut at the far side o the deer forest, as oor hills were a'most bare except for heather, only a few trees, rowan maistly, growin alang the burn. Dad accepted that the tinker families hid every bit as much richt tae their education as hid his family (I would moan because the lassie that sat aside me wis smelly) an that the soft spoken Lewis couple, John an Chrissie, had different weys frae oor ain, but he didnae like the theft o his cut timber by fowk wi nae legitimate claims tae it, this didnae happen often though. Since we had nae made-up roads, the wood an maist ither heavy goods, wis transported by slype (or sledge) pu'ed by oor wee garron, Gilly.

Gilly wis quite different frae Scottie whae we'd left ahint in Stirlingshire. I didnae hae tae ride him tae school, as it wisnae sae far noo, an my faither often had work for him tae dae. Looking after his harness wis a job I lo'ed an Dad an I would work awa companionably thegither, as he mended oor shoes or his hill buits: Herd Laddies wis the mak he ayweys bocht frae the catalogue. Dad had a last wi different sized 'feet' on it. Three I think. The shoe wis fitted on tae this for work on soles or heels tae fit segs mibbes, or tackets, an on fairm shoes we often had cackers at the taes. Oor shoes were bocht tae last but sometimes were in need o stitching or patching. Wi a cake o beeswax or rosset, a linen threid wis dressed until it could stan up bi its lane, then twae needles were threided on, ane at ilka end. Sometimes Dad uised a thick piece o leather wi a loop aroon his thumb, a 'palm', then stitched welts or repaired tack for the uise o the deer pownies. New shoes were only bocht on few occasions. They were sic a special treat. Quite often the mak wis 'Birthday' shoes but they were eyways either black or broon. Sandals were special; the usual summer-wear wis sanshoes. Aunt Phyllis aifter a visit left me a pair o button boots, I must hae ta'en the same size as her. These were actually quite smairt, but needed nifty work wi a button hook tae dae them up, an wernae really quite joco for a pre-teenager. Mum as far as I ken nivver hid a pair o high heels, an uisually wore sturdy black lacin shoes, or wellies.

Sometimes Dad would be takin care o his tools, precious, as we had tae be fairly self-sufficient. Oor family wis fortunate tae possess a venerable tool chest, a family heirloom. He kept it weel stocked an the equipment weel cared for. He'd say '*a guid workman looks aifter his tools an they're nae guid if you cannae lay your hans on them when needed*'. The tool chest wis like a sma press when you first saw it, but on opening the doors whit a work o art wis laid afore ye. There were several drawers o varying depths an half way up these hid at each side o them a row o very sma drawers, these aw fitted flush an were equipped wi hoop haunnles, an had mony an varied uises. The yins maist frequently uised being the yins that held the oilstane an the whetstane. Aince again it wis obvious that things needed tae be kept sharp if they were tae perform their jobs properly.

Men o' Worth

A the men I kent were experts wi the oilstane an their sheep-shears were honed tae perfection aifter ivvery uise. This wis essential on clipping days if you were tae get the clip feenished in time withoot damaging fleece or ewe. The clippings started aboot mid-July. It wis aw hauns on deck when it wis oor turn; frae early in the morning at the gaithering, tae the invasion o aw the ither neighbouring men at breakfast time. Herds o aw shapes an sizes in their tackety-sprung buits (turned up at the taes) arrived, wi collie dogs at heel. Tae be shorn the ewe wis held sitting up atween your legs or lying on a clipping stool according tae the hanler's preferred wey o workin. The fleece wis then opened up at the neck an a clean break made. The wool had 'a rise' on it an you followed cleanly round, first on ae side, turn the sheep an then clip the other. The herds' peely-wallie airms, under rolled-up shirtsleeves seemed tae hae a rhythm set up by familiarity o long practice an the shears flashed in a mesmeric unison. I wis nivver fast enough for the actual clipping days but when I wis auler, at eleven or twelve I could help wi the ane or twae 'stragglers' which were brocht in separately. The snip, snip, snip o the shears eventually allowed the fleece tae fa revealing the soft fluffy inside layer an then, turned inside oot, it needed tae be rolled for packing.

The sheep at this time also had burn marks applied tae their horns, wi brandin irons, or keel marks on distinctive pairts o their white bodies, shooder or rump. If a strange ewe had found its wey ontae oor hill, then it wis marked wi the richt keel mark fir its owner.

My job at shearing time wis either wi the tar-bucket fir cuts which micht hae been inflicted on a wriggling sheep, or fetching oot huge baskets o food an mugs o tea or the jug o buttermilk, for refreshments. The food wis aw home-baked an represented a lot o work fir my mither. On hot days a bottle o oatmeal water wis very welcome. Aw working thegither, abody kennin their jobs an what wis expected o them made fowk we seldom saw pairt o oor sma community. Setting the world tae richts as they worked wis pairt o the enjoyment o the day fir the menfolk an the crack wis guid, the men still talkative as they chummed each other partway hame. Dogs, sticks an o course sheep were the main topics but in oor area horses usually featured in discussions as weel, as they were necessary tae the running o the deer forest. Aaron, my dad, wis kent in the district for his keen knowledge o his flock, each an individual tae him. He knew the component o each heft an missed ane if it hid strayed. Withoot their Collie dugs the men would hae been hard put tae get their jobs done. A dog wi a guid e'e is priceless, and a pup frae a guid bitch wis afttimes spoken fir afore it wis even born.

Early on the mornings o the appointed days, neighbouring herds helped tae gaither dad's flock, say six thoosan or sae breeding ewes, driving them wi their Border collies or the occasional Beardie, as they walked ower the hill tae oor fank. The sheep were then penned tae dry a bit while the men hid breakfast, provided by mum. These men were kent tae each other an would later be jined bi others whae maybe didnae ken the hill sae weel, had nae dug, or even were unable tae clip, but ither jobs would be found for them. Aw the young lads learned by example, or in some cases seemed tae juist follow tradition. I wisnae afttimes pressed intae service on they occasions though I could wield tar or keel if necessary, an even clip very slowly as I grew auler. Hanling a heavy ewe wis, for me, the maist difficult part. Some o the men hid shearing stools, sometimes a few grass sods were piled up, some just spread a sack. Dipping needed a special dip bath an wis sometimes attended by the local Bobby, whose job it wis tae sign forms saying aw hid been done correctly, an how many sheep had been treated. He usually stood aroon notebook in han, but sometimes gave a han wi sheddin the beasts intae different pens. Food wis served at the appropriate intervals an in enormous quantities. An allowance wis paid by the fairmer, tae Mum fir this. Mum's scones, treacle an plain, wi fresh butter, jam or cheese were weel tae the fore; van bread spread wi bully-beef, spam an sic like were sometimes available but 'points' had tae be reckoned wi, rationing bein in force.

There wis a jargon an flyting in the talk which incomers must hae found difficult, but the topics seldom varied, dugs, pups an their training, sheep an prices, nibbie-sticks an weather, bein the topics o interest tae maist.

Sheuchcan and the Clockers

Often in the winter months my mither would see nae ither woman for maybe twae months on end. She got fed up wi the talk o sheep an sheep dogs, which wis the topic if ony o the men came wi the slype or cairt. Morag, a much younger woman, obviously feeling much the same as my mum would set off an walk ower the hill for a cup o tea an a blether. This wis a distance o maybe four miles! On ae occasion when Mum wis convoyin her a bit o the wey hame a mist caught them oot an they lost their bearings. They managed tae fin their wey back tae oor house an there they stayed. Morag wis worried howivver that Sheuchcan, her elderly husband would be frantic wi worry an start searching for her, as darkness fell. Eventually they fell in wi my suggestion that as I kent the way blinfauld I could be guide, Mum insistin that she cam alang tae mak shair I wis safe. An I did indeed ken the wey, I led them hame bi uise o the March dykes ower Cnoc Brannan, a lang, lang way roond, but safe. The twa cronies trauchled alang in my wake as there wisnae ony path an they stumbled ower every wee clump o heather. They were juist like wraiths when I looked ahint as even as close as we were they were shrouded in mist. Ivver aifter when Morag saw me she would quote '*A little child shall lead thee*', an tell how I'd saved her life! My dad had been on his hirsel when that mist cam doon, an being just above the 'crag' had sensibly sat it oot, till visibility improved, bein quite unaware o the shenanigans at hame.

Sheuchcan, Colonel Fergusson tae gae him his Sunday name wis a breeder o bantam hens, an the locals played mony jokes on him. He wis a stout, affable man wi huge bushy eyebrows. He would be eagerly waiting on a new layin strain o banties frae eggs which were under the clocker an wis often dumbfounded when they hatched out as partridges! This wis a bit o fun an wis never really meant maliciously but the whole glen would be 'in the ken' an Jack-the-Post had tae cairry the news, as weel as the letters. When he wis telling Jack-the-Post aboot these occurrences his eyebrows would rise an meet in the middle. Jack wis great at 'taking off' the auld man.

Mum liked her hens as weel an they supplied her 'pin-money' for the few luxuries she liked. She kept black Leghorns, Wyanottes, Barred-rock, an Rhode Island reds. She hid a carrier at the back o her auld bike, juist a rack really an on it would be strapped an egg-box. She posted them tae a freen in Glesgae, when she went intae Comrie sometimes. She supplied this freen aw through the scarcity o wartime, really a form o black-marketeering, I suppose. The eggs were posted in cardboard boxes, packed wrapped in paper after they hid been wiped, an the box hid compartments for each egg. The boxes went back an forth as often as we hid supplies. I nivver grudged cairrying the parcels tae be posted as I sometimes did as these eyweys cam back, quite 'Jacko', wi money an a wheen second-haun comics fir me. Magic.

An later when I wis at school in Crieff I would take great care in transporting hame day-auld chicks frae the S.A.I. on the carrier o *my* bike, tae keep her stock up tae scratch, as new blood made shair the hens steyed healthy.

At times o ower-production some eggs also went tae the van-men in a form o barter, as weel as beautifully presented half-pounds o butter. These were shaped an marked distinctively wi the previously scalded butter hauns an would hae been easily traced tae source had anyone wanted tae dae sae at that time. Mum's artistic skills were put tae guid use in her kitchen.

Lots o things were changing for me. I had passed my Qualifying Exams, an although I wouldnae be eleven until aifter term hid started I went off tae Comrie Secondary scuil, which wis seven miles by road aince I hid reached the road! Oor ain track wis another twae miles o walking, or riding ayont that. O course it wisnae possible tae travel this distance every day, so arrangements were made fir me tae board. The Education Authority took care o aw the cost o this, an I got encouragement tae go. I had a pressing need tae return hame at weekends howivver an my bike wis tae prove its wecht in gold, ga'in me my freedom frae the Friday afternoon tae the Sunday evening. So Friday aifter scuil saw me heading off up the glen come rain, hail an even snow. Past the camp at Cultybraggan where the German P.O.W.s were detained.

One year, it may hae been 1945, the P.O.W.s cleared snaw that wis at least heid-high in drifts aroond Comrie, an kept my road open. I had tae walk as cycling wis impossible, but at least I could get hame, gae'n ower the hills frae Sheuchcan's since the tops were clear.

From Lewis with Love

Normal weekends though I cycled past the scuilhoose, turned tae the richt an then rattled doon the road tae the fairm. John or Chrissie were ayeweys there where they lived in the sma shack bi the fairm steading. John got this rent free in return for odd jobs aboot the place. John said his former home had been *'the Isles on the edge o the sea'*, his name for the Hebrides. They had left Lewis fir their daughter wis leevin in Edinburgh an she worried that they could nae langer manage at their age in the isolation they hid leeved in on the Island. Chrissie wis a big woman wi a heart tae match, but had a carelessness towards her tasks that caused my mither on ain or twae antrin occasions tae ca her *'thowless'*.

I laid aside my bike in the steadin an paid my obligatory visit. It would hae been discourteous no tae. Aifter seven miles up the Glen, Chrissie's cuppa wis welcome, no sae howivver her offer o food. She usually ga'ed me a thick doorstep o Scotch bread wi black doughy fingerprints embedded in it. This couldnae be refused; I wis a growing girl an needed what I could get! So, no tae cause offence, I resorted tae subterfuge an fed the dogs that lay in alow the table, me munching only on the slice o cheese that accompanied it. Burnt black crusts on Scotch Bread still take me straicht tae Chrissie. I can see her spinning an hear a hum going, *'Hovan, hovan, gorry a go'*.

Chrissie would continue spinning yarn while I ate an wis pleased tae show me how it wis done an let me hae a try. There wis nae real trick tae feeding the wool ontae the wheel, the difficult bit wis doing it without lumpy bits, an in jinein the strans as you went. However I wis a dab haun at cairdin and made decent rowes fir her tae spin frae. She wis so nonchalant aboot it but it must hae ta'en mony years practice tae mak sic a great job. There had tae be deft work wi the foot as weel, aw the time listening tae my blethers, an wi mony a toothless smile. I sometimes helped her collect material for the dyes she brewed up an remember wondering how she got the vivid blue frae onything I took her in. She did hoo'ivver usually twist twae shades thegither, ca'd plyin, which toned it doon a bit. A lot o her wool wis gaithered frae fences an bushes an wis frae Blackface ewes, coarse an scratchy. Dad sent her a fleece aince frae a Cheviot tup an this wis muckle safter. I persuaded Chrissie tae dye it in bracken colours. When my mum eventually knitted some o it up I wore the jumper fir mony years. Chrissie wis sae kind-hearted, but missed her native Lewis. She didnae fit in tae fairm life an hid few freens amang the local wives.

She hid hid a huge fricht when she wis ta'en on an outing tae Edinburgh bi the boss's wife, Mrs McLaughlin. 'God be wi us,' Chrissie shouted oot on crossing the Forth Road Bridge, as she fully believed that the car hid tae gae up an doon arches like those on the bridge she could see (the railway brige). She never wanted tae gae back. Mrs McLaughlin wis quite happy at this decision as Chrissie's nervousness had communicated itsel tae her, an driving wis something she wis juist becoming familiar wi hersel.

I hid tae read alood the letters Chrissie got frae her dochter, as she wis too proud tae ask 'the boss' tae dae this. John could read, but no fluently if it wis somebody's han writing, an Chrissie said I made it newsier. She usually hid tae wipe awa a few tears at they times. She said *'If I hiv ae fault it's that my bladder has ayeweys been too nearhaun ma een.'*

Aince when I hid been trying oot Agnes McLaughlin's bike wi the back-pedalling brakes an hid come a richt cropper, John helped Chrissie tae patch me up saying, *'I haf never really liked these 'dampty' machines onyway, an for why hae we been gi'en oor legs?'*

He would bandage certain leaves inside a hastily applied hanky if onybody got hurt, an wis often consulted on hamemade concoctions fir the fairm animals' ailments. Yarrow I'm almost certain was ane he uised often. Shepherd's purse wis put inside shoes, an when he got the chance tae gaither Woodruff he wis delighted, an took some hame fir Chrissie, tae hing frae the ceiling. I wis shair he wis a bit o an alchemist.

Brother Jim

I didnae meet this brother until he was amost thirty and I wis near eleven. Jim wis born in 1914, the year ma parents were married, and he ayeweys said he was the reason there were nae full length photos o their wedding.

I wisnae born until 1933 so there was a big discrepancy in oor ages, an we nivver shared ony o the brother or sister type o activities I did wi ma ither siblings.

I hid photos o an earnest lookin scuilboy, wi a wide, white Peter-Pan collar, standin aside Jean, my auldest sister ootside Holywood scuil, in Dumfriesshire. I would like tae hae met him then I think. When I eventually did I could see that he resembled dad in his care for his working dogs and the 'e'e' he had fir his flock. His piercin blue een could see faults in mair than stock I felt, an I didnae think insincerity would hae gone unnoticed fir a meenit.

I thocht the reason we haddnae met afore wis because we leeved sic a lang wey apairt, bit it seemed I hid been mistaken. I wis quite a bit auler still when Jim put the record straicht. He telt me hoo he an Dad had fa'en oot ower comments he hid made when he found oot that Mum wis pregnant fir the seventh time (me). Jim thocht Dad hid been less than considerate an that Mum should hae been able tae leeve her childbearing days ahint her. In nae uncertain manner, confident in his early manhood he hid voiced his disapproval. Saddened an hurt bi his behaviour oor normally mild mainnered faither had struggled tae mak allowances, but Jim's disrespect distanced them an continuin conflict drove them apairt. There were big gaps in the families' birthdates though, an Mum hadnae concieved a child every year as some country women hid. Mony years later when I speired aboot this state o affairs, Mum telt me that I hid been nae accident an that she aye felt happiest wi a bairn in her airms!

Probably ane o the reasons the rift hid been mended was that by noo we aw kent Dad hid terminal cancer. In this family crisis Jim proved tae be a great support tae Mum. Because o this I saw him often noo on his visits hame. Despite oor delayed start we formed a bond in my early teens, an I became a fairly regular visitor tae *his* hame. He hid married Jenny an eventually hid three bairns. I think it wis roon aboot this time that he stairted to grow the 'fungus' which became his trademark. Ilka lambin time it appeared, his excuse bein that he wis ower busy tae shave. Eventually it juist steyed put. His short-stemmed pipe wis almost concealed bi its luxuriant growth, the area roond it becomin smoke-yellowed. The family joked that naebody except Jenny knew if it was even removed when he slept.

Ae thing I envied him were the Union shirts he wore. They were collarless an faintly striped, but washed to a wonderful softness. They hid a lot of linen as well as cotton in their weave, and came frae Jenny's family in Ireland. A generation later I would hae bin able to wear them wi nae problems, as 'grandad' shirts were aw the rage.

When I wis still goin to scuil in Crieff, his wife Jenny asked me to dae an errand fir her. I wis tae purchase some Cucumber plants, and bring them back when I cam hame at the weekend. She was obviously embarrassed asking a schoolgirl tae buy plants o each sex, an I wis instructed tae ask fir a Jock an a Jenny! We hid a laugh aboot this later when her ain family wis growing up and I uised to ask her if she'd taught them aboot the Jocks an Jennys yet? Baith were fond o their gairden, Jenny fir flowers, Jim fir his vegetables.

Jenny made aw the family welcome an although visits couldnae be reciprocated, because o commitments tae animals, we aw tried to see them sometime during the summer months. Haing stock tae look aifter, especially milk cows, made days oot difficult an holidays werenae a regular occurrence.

On visits tae their family I wis allowed tae drive the tractor to tak turnips oot tae the tups, and then a few years later got tae drive Jim's auld Morris with the square roof-licht, doon the Glen road, where licences were nae goin to be asked fir.

Jim then chainged his job so that Mum and Dad could rent a cottage near at haun, as by this time Dad hid been forced to gie up work. In the countryside commonly, hooses were 'tied' tae the job, and we were in need of a place to leeve. I cycled past Jim's cottage on ma way hame frae scuil ilka weekend, so we saw each ither regularly. I wis able to report on Dad's progress, when I hid visited him, if he was in Perth Infirmary. Family mobility wis limited, only Jim ha'ing a car at that time.

Unlike my ither siblings, I hid nivver kent him in ma childhood, and he had been presented with a lassie, almost intae teenage, whom he hid to get tae ken. Oor relationship seemed to be on an even footin. We could discuss things an I felt he valued ma opinion. By this time he wis a member of the Amulree Male-voice Choir, an we often ran doon the glen in that wee box o a Morris car wi Jim gi'ing full-throated voice tae the current performance piece, like '*Shenandoah*'.

Aince, cycling up through the Sma'Glen tae visit the family, I cam across twae elderly wimmen leaning ower the roadside fence. In the field, Jim was 'running' his Collie brace, in preparation for the Pitlochry sheep-dog trials. He was in fine voice. '*Hasn't he a great command of the Gaelic?*' they said. I managed to restrain my laughter till oot o earshot. Jim's language hid been choice, but he spoke no a word o Gaelic. Telling him aboot this, caused him to recall an American, who on visiting Aberfeldy Show, hid asked him why aw his dogs were called Herman? Afcoorse they hid individual names, but Jim addressed them as '*Heeere Mun!*'

As many o the family as possible would attend these countryside events. Folks met up on a prearranged spot an picnics were brocht oot an shared. The biggest o these events bein the Game Fair, which occurred at a different venue ivvery year, when a' the wives tried to gan as well.

Jim seemed contented with his life as a hill-man, a shepherd, although as a young man he hid aspired tae other careers, ane o these being the Police Force. '*When I wis eighteen,*' he telt me, '*I tried tae jine the pollis, an I sailed through aw the exams but I failed to reach the chest measurement they wanted, so finally I settled fir being a shepherd, an in mony weys I've nivver regretted it. It's a free life – it's a life on your ain when you can think your ain thochts up in the hills an naebody tells you whit tae dae.*'

Sometimes, though, the life must hae been hard for a young man, an lonely. I asked him aboot that. '*My day? Well sometimes I wis dropping wi tiredness by the end o the day. But I still went to Night-Scuil where the Dominie taught me shorthand because he thocht it might be usefu tae me ayeday – but it never his been in aw these years'.*

He was encouraged to enter an essay competition and won £12. Just for comparison Dad's wage then was £10 each quarter, with, afcoorse, 'perks'.

Jim became well-kent as a guid judge o livestock an often officiated at these local Agricultural Shows. He was niver seen withoot his bunnet, his pipe, and his Herd-Laddie boots. These were bocht frae the uisual catalogue, and had sprung soles an mony tackets. His photo featured in local newspaper reports o these events.

In an interview fir a series of newspaper articles he was 'The Shepherd'; he astonished the reporter by reading his shorthand upside doon an calling his attention tae the wirds saying *'That's no what I've juist said'*. So his schooling *had* stood him in guid stead on that occasion.

To Lean On

I thocht the warld o John. He wis juist an auld fairm-haund whae hid a kinnae lean-tae dwelling at the side o the fairm-buildins, which he an his wife Chrissie got tae leeve in for a bit o odd job work roon the bit. He wis my best friend at that time, despite the difference in oor ages. I wis juist turned eleven an hid stairted Secondary scuil at Comrie. He must hae been in his sixties, but I could speak tae him mair freely than onybody else I kent. He ayeways convoyed me a bit o the wey hame, as I had tae leave my bike in the hayshed an walk frae there. Usually if John wis wi me I didnae cross the shooder o Cnoc Brannan as he found the brae *'a bit stey'*, but went roond bi the cairt track, along the Findhu burn from where it met up wi the Ruchill. This also meant that he could walk further wi me. I liked that. John hid a natural wisdom an could set his mind tae solving aw sorts o problems.

'Maybe if you were tae try her this way', or in similar words he'd get me thinking laterally aroon my problems, an ayeweys he would be anxious next week tae see hoo things hid worked oot. He uised tae explain hoo in the auld days the fowk whae hid leeved here (or indeed elsewhere) hid observed things happening an named places, be it frae weather phenomena or strange mist-induced spectres, gaein rise tae the auld legends. Water thundered doon sometimes, filling the gullies in the deer forest opposite. John an I would marvel as a black sheet, thickly glistening, covered the rock slabs an mist clothed the mountainside, while here on oor side o the glen we were enjoying late sunshine. When you were familiar wi scenery you could see how outlines changed wi the seasons an the weather.

Fir John tae ken ae rock intensely, wis for him, a better wey tae spend his time than life spent in a crowd. He would quote a line from Euripides that oor minister had learnt him. *Happy the man whose lot is tae ken the secrets o the Earth'*. It seemed very apt. Another quote he wis fond o, cam frae the wisdom o the Sioux tribe. '*The power of a stone is endless. It is perfect, no artificial means have been used to shape it, so it is the work of nature. Outwardly it is not beautiful but it is solid like a house, a solid house in which one may safely dwell'*. He felt his happiness cam frae an intimacy wi his surroundings an although transplanted, as Chrissie wis, he cam tae love Perthshire. He kept Lewis in his hairt though.

'*Clouds, Betty*' he'd say, '*can hide the skyline but even heavy, murky, grainy weather moves on, an the skyline will still be there. Mind on, it happens that way wi folk as weel when you are awa frae them.*' He understood my need tae come hame at weekends an the big changes I wis ha'ing tae adapt tae.

He gaed me a bit o advice when I wis beginning tae believe that going tae High School wis too big a step. '*Betty, sometimes a big step is what's needed. You cannae cross a chasm wi twae wee wans.*'

John, tall an somehow badly put thegither, wis no the greatest worker but plittered aboot at his tasks, often makin little heidway. He wis a shy, gentle man an weel enough liked bi the ither ferm hauns. It wis John though whae got the best work oot o the German P.O.W.s whae sometimes cam up tae dae work on the roads, or in the auld school-playgrund. I think he wis undemanding but just expected folks tae gie o their best.

Swimming Pools and Catalinas

Simm Anson, (reversing initial letters) or Simmy, as she liked me tae ca her, wis my niece (I wis Libby tae her). She spent a lot o time wi *'Granny Shepherd'* as she ca'ed my Mum. She wis almost an evacuee, fir a time, as my sister got a job as a station porter since aw the able-bodied men were at war, an Jean wi a full-time job found it difficult tae look aifter her. We saw the world full o possibilities. The landscape wis fu o secrets, eternities stretched afore us. We ran barefit, feeling the grass aneath oor feet, an because that wis where I led an she followed, the rough gravel o the stream bed. Simmy's feet were newly released fae city shoes an streets, but my soles were already hardened aff. Twae year auler an in this case the leader, I continually led her intae situations we, neither o us, could haunle. The country wis no her element but I believe she appreciated it even mair than I. But here, I wis at hame an nivver ha'in had a younger wean as either sibling or neighbour tae relate tae, had my blacker side tae try oot, an a life-long alliance tae forge. Oor code-names were uised only by us. We hid code words for mony things an oor discussions were involved an way beyond oor years. We uised words which were no encouraged by oor elders like 'jiggert', 'drookit' an 'scunnert'. We shook deliciously in fear o skelpit leatherins should onybody hear us. Naebody, ivver wis tae ken that we used these awful heathenish words.

Hae ony o you ever heard o the Fairy Alphabet? Oor version wis obviously a one aff, but my favourite bit went:

Ale(alley)Man, Oochengee
Poochengee, Quoochengee.

Another in similar vein ie, adding -ike to the end o words you will aw ken:

Ifike Ike
had a gun Ike
wouldike shootike
yonike swanike
thatike swimike
onike yonike
millike damike.

She even brocht her ain mair modern culture tae the glen an we chanted:

Mairsiey doates
an orsey doates
an liddle lambsey divey
Kitle eat ivy too, wouldn't you?

until my mither ca'ed cease!

On a similar theme ... we were tireless! we had a way o talking which infuriated those roon aboot us. We would say:

y, dy, ody, body?

an the answer wis o course,

body, ody, dy, y.
Y-body, Ry-body, ery-body etc.

or several variations on the word everybody.

A memory which goes doon aw the years wi me is o my niece yelling '*Granny, come quick*'. She had seen her Uncle Fred's maroon Tank Corps beret bobbing through the heather as he took the short-cut ower the brow o the hill hame; an o my mither rushing tae the door, drying her hans on a sackin peeny, ignoring the tears streamin doon her face as she welcomed hame her P.O.W. son.

Anne's family visited as weel at these times bit she wis usually left wi Granny Shepherd fir a bit langer than her younger sisters. Her dad, Jimmy wis usually pressed intae service on these occasions, since as a painter he could help us wi decorating. Maistly the sort o thing we could dae wis tae distemper various rooms but wi Jimmy there we could be a bit mair adventurous. He wis happier working than being at a loose end an smoked his pipe an whistled when at work! He showed us how tae stipple, tae sponge-an-rag, but maist effective wis what he did tae doors an furniture. This involved different coats o paint, varnish, an the use o comb effects. He copied beautiful mahogany grains an other wood grains, wi which he successfully covered oor rather basic wuidwork. He even did some graining on Mum's kitchen, but I don't think this went doon too weel. (The table wis usually covered completely wi wax-cloth which wis secured at the corners by four metal plates which slid on, keeping the cover tichtly in place).

Jimmy had a strange hobby an the evidence o this was very visible in their hame. He made pictures wi siller paper which he mounted on black backgrounds and framed behind glass wi 'Passe-partout' tape. This wis intricate work an the results were very fine. He did regimental badges, ships, and I remember twae that hung in my ain home; ain o a crinoline lady wi a tiny parasol, an a smart dandy wi breeches an a tall top hat.

I got taen back tae Newport wi Anne when she went back home tae be wi her mum, my auldest sister Jean. Mary noo bein o an age when she could be in chairge, traivelled wi us. She wis still juist sixteen an almost as green as Anne an I were when it cam tae finding buses an trains!

Unfortunately although I loved trees I wis unused tae the proximity o those roon Jean's hoose. I slept in a room under the roof an on mony nichts I woke wi my heart thumping at strange noises frae the ceiling. Finin oot that it wis only tree branches squealing as they rubbed in the wind helped, but I still found myself wakin suddenly, fu o fearfu imaginings.

The house was slightly apart frae ithers, an sat at the top o a steep slope descending tae the River Tay. Harris Builings it wis kent as, an one half was a Co-operative shop. Below Jean wis anither flat an doon a guid few stairs wis a wash-hoose and loo. You could cairry on doon mair steps an reach the river bank.

Jimmy Simpson was in the army and was awa frae hame a great deal, so my sister Phyllis stayed wi Jean as she wis noo workin at Newport East Railway station as a porter, the men be'in otherwise engaged. She hid been prood o her work at St Serf's Nursing hame an hid sent hame a photo o this almost unrecognisable smartly uniformed person in a white uniform. The porter's garb in contrast wis coorse an dull.

Jean had a doonstairs bedroom which held little else than a double bed, but the window looked oot ower the Tay wi only the drop tae the wash-house an toilet atween her an the shore..Ae morning Phyllis wis ca'ed urgently tae this room as her help wis needed tae release Jean frae the clutches o a corset whose metal zip hid painfully caught her flesh in its teeth.

The best holiday fun I hid wis picnics tae the Back-den an the Saturday morning picture show. The Pow-wowing Indians invaded oor screen, passing the peace pipe roon in their circles. Names tae conjure wi, Navaho, Apache, Arapaho, Chinooks an Cherokees. Pawnees that naebody could trust. Sioux an some caed Blackfoot, even though they wore moccasins like the rest. It took me wi my speech problem quite a while tae cope verbally wi Shoshones an Ojibwis. Ululating, hauns slapping the resonating chambers o oor mouths, we erupted frae the Picture-hoose doors, then war-danced roon a ceremonial totem lamppost, waving imaginary tomahawks. Then skilfully we proceeded tae track the neighbour's dog through the local scuil shrubbery. The Indians gae'd us value fir oor money, an sometimes it hid only cost a wheen jeely-jars fir oor tickets.

I wis totally unprepared though, fir the shore, an couldnae imagine what it must be like at the real seaside, like John an Chrissie had kent on Lewis. It wis sic an adventure tae fin a sma stretch o sand concealed atween the rocks, which comprised maist o the shore o the Tay estuary. When we went we hid tae mind tae tak towels, sandwiches, a comb, a bottle o pop frae next door at the Co-op, an pack things like knickers because we were already clad in oor dookers (swim suits). Mine wis cotton seersucker, which had seen better days I'm afraid but did the job fir the few times I wis goin tae need it. We capered aboot in the shallows, leapin an splashing an I liked the briny taste. I wis trying no tae fa in as I couldnae swim at that time, but hid great fun nivver the less. We dug holes wi whatever cam tae han, an watched them fill up again, then searched along the seaweed for hermit crabs, buckies, an winkles. When hame-time came we got dried an oot o oor wet costumes, under cover o towels an oor combined oot-held skirts, but modesty wis no oor strong point. Then, oor skin ticht an oor hair crisp wi salt, we made oor hungry wey hame tae dae justice tae Jean's teatime offerings.

Another favourite occupation wis tae go doon the Boat Brae frae Harris Buildings where Jean leeved, tae cross on the 'Fifie' tae Dundee, aince Anne getting locked in the lavatory, an ha'in tae mak the crossing mony times till someyin took me seriously, an helped get her oot. Even just spending the odd penny on the toy crane in the entrance tae the Ferry terminal wis fun, although oor sma donations were quickly swallowed up, very seldom producing ony returns.

The Catalinas were a source o wonder tae me, although mony locals took absolutely nae notice o these flying boats juist at their doorsteps. They were like big insects, wi their blister windaes fir e'es, which went oot looking for, an torpedoin enemy submarines. They used depth charges an were instrumental in protecting oor convoys. In the Tay's case they were manned by Norwegians who were stationed at Woodhaven, near Wormit. Their missions, locating the enemy fleet, were undertaken in these Catalinas, an some Sunderlands. I could sit for ages at a wee formal park where there were benches, an watch them touching doon, afore taxiing upriver.

Anne got a paper roond an I enjoyed helping her deliver glossy magazines on a Friday nicht.

We aince got ta'en tae the Baths in Dundee! It seemed tae me that there were countless things in the world that I had yet tae sample.

It was Jean's youngest lassie, wee Ruth, whae wis instrumental in helpin my brither Fred regain his speech. He hid been severely traumatised by his war-time experiences, an fir some time couldnae speak tae us. (An even later didnae ivver talk aboot these maitters.) This must hae been a truly worryin time fir my parents, who hid nae idea hoo tae gang aboot helpin him get ower his problems.

Grey Matter and the Earthquake Village

What a wrench it wis leaving the glen school, but exciting too. I had a grant, which covered my digs an a wee bittie left ower fir transport, so my trusty bike came tae the rescue aince again. Buiks were provided so I juist needed some sort o uniform!

My digs were wi Mrs Mills a widdae woman whae leeved on the brig ower the Earn in Comrie. Yes, I really mean *on* the brig. The front door opened directly ontae the roadway where it ran ower the crown o the brig. Comrie means the 'meeting o the waters', an although we lived on the Earn we were no really in danger o flooding, though sometimes the garden wis under water if there hid been a big spate. (The other rivers were the Ruchill an the Lednock.) The commonly used door which opened intae what had been the paint shop, however wis under the arch, richt on the riverbank. Mr Mills, painter an decorator, wis dead, but his dauchter Mary, who had married a Polish man, lived just a stane's throw awa in the Square. I uised tae like using the machine, which trimmed a long thin edge aff the wallpaper, fir her husband, Peter, who carried on wi the decorating business.

On the ither side o the road there wis a sma public garden, wi benches where I uised tae sit daein embroidery aifter scuil. I also made freens wi Margaret McIlwham an we went fir cycle runs an walks thegither. This wis the first time I had been able tae see scuil -freens aifter scuil, except for the short spell when I kent the Dots at Fearnan.

Other fowk stayed wi Mrs Mills frae time tae time. Mr and Mrs Innes an their son, Peter, did fir a while, an then Mr Innes took ower the Chemist's shop in Crieff, so left Comrie, an for a while she hid the

McCreaveys steying in the hoose. Derek an Margaret were a young couple, Derek frae the Highlands. We had a rule tae speak only Gaelic at breakfast times an I became reasonably adept at the weather an greetings like 'Good morning!' afore they left. Comrie wis ayeways on the border atween the Highlans an the Lowlans, an Gaelic wis still minded a little bittie but nae langer uised. There uised tae be a lot o earthquakes in the village, hence it earned its nickname o 'the earthquake village'. The worst ane I heard o around that time wis in the summer o 1947 when I wis on holiday. Maistly, bi the locals, it wis caed 'the shaky toon'.

I made freens wi some o the grocer Sorley's family, an ca'ed in maist weeks tae tak some things hame fir Mum whae still relied on what the vans at the fairm thocht o bringing. Ae time I recall takin her six coarse thick mugs which went tae fank after fank for years aifter, an niver got a 'sair heid'. Indeed it's nae so mony years since that they were still in occasional uise fir ootside occasions.

Another favourite haunt wis 'Val's'. Here a far sichted youngish woman hid created a theme cafe, which wis aw willow pattern an served lovely home baking. I wis allowed tae help a bittie noo an again an occasionally made treacle scones! I think Mrs Mills recommended me.

Margaret McCreavey loaned me her uniform frae the Timber Corps aince. The Timber Corps & Land Army badge, (a crown an fir tree), wis worn on a bottle green beret, an they also wore a bottle green jumper an jodhpurs. Their job included felling trees for pit-props, pulp wood, an telegraph poles. This aw took place on Forestry Commission plantations. Wearing this I went wi my friend Margaret, guising roond the streets singing hits that we kent the words tae, an were aw the rage at the time; some o them aboot places we hid nivver heard o, like St Louis, and dances ca'ed the Hoochy-Coochy an Hokey-Cokey, that we hid nae idea how tae dae, but baith o us ha'in a guid 'ear' we'd learnt them aff the wireless and were keen tae be 'up-tae-date'. Margaret wore a badly fitting army uniform loaned by her sodjer dad.

Lots o things were very strange tae me, flush toilets; shops juist roon the corner, lots o ither bairns o my ain age in class an different teachers fir different subjects. It soon became apparent that Robert (whae hid gone tae Comrie at the same time) an I, had benefitted greatly frae the one-tae-one tuition we hid had. So much so that we both became Dux o oor new scuil. Mr Stalker duly sent fir oor parents. Mum went tae see him on the auld 'sit up an beg' machine. He confused her a bit when he talked aboot oor 'grey matter' as she had nae idea what he wis referring tae, an I don't expect Lizzie, Robert's mum had ony idea either. Mum caused me acute embarrassment as she steeled herself an telt Mr Stalker that I wis knowledgeable aboot 'women's' things an would be O.K. Anyway we were both, Robert an I, put forward tae sit a bursary examination, an both won. This enabled us tae move on tae Morrison's Academy in Crieff at the start o the next scholastic year. Robert hooivver wis needed bi his Mum an didnae tak up this move, Comrie bein handier fir him, tae get hame frae when occasion demanded.

There soon wis street lichtin, as the nichts grew darker now, and the Blackout wis ower. Best o aw though at this time celebrations were taking place in various ways aw ower the country, as oor 'boys' were coming hame frae the War.

Dougal and the Shades

A freen o ma brither's cam tae stey in Comrie wi his wife, Jess, in an Eventide hame, Dalginross. They were lucky that they had the uise o a large room an could hae a few o their bits an pieces roon aboot them, tae mak it mair familiar. Dougal though wis lost amang sae mony folk. He hid felt that Jess an he would just help each other oot till 'the end'. Jess hid a bad knee an despite ha'ing this operated on she could only hirple aboot, an couldnae chase aifter Dougal whae wis ayeweys 'losing the place' an forgetting tae come in fir meals. This hid made the move necessary an Jess wis enjoying the new life. People tae talk tae an nae worries aboot Dougal ony mair. I wis able tae visit after scuil aboot aince a week, an syne we became freens. They were ayeways very welcoming an Jim's name cropped up on maist visits. They very obviously thocht that I hid come a great distance tae see them. I did explain aboot my staying wi Mrs Mills but they only vaguely understood.

As I got tae ken them better Dougal would take me oot on the walks he had discovered. Here he could bench-sit an look oot ower the hills he had aince shepherded. There were convenient benches for the use o residents, an these got him awa frae the crowd o auld folks inside. He missed his dogs sorely though, ha'ing nivver been withoot them during his working life. "Pets Not Allowed" said the notice at the fit o the drive.

Aifter a while when I'd been visiting for a few months I asked him if he wis getting used tae being withoot his companions. He assured me that as we spoke they were in alow oor bench! From then on I thocht o them as the 'Shades' an kent that the wee black collies waited for him bi the door whenivver he pit on his buits.

I tried tae see Dougal still when I moved tae Crieff but my visits became less regular. Fir a while he seemed tae become shy in my presence, but ae-day he must hae decided that I wis auld enough tae be ta'en intae his confidence. So he telt me aboot 'the horses'... Arabs I think, drinkers o the wind, waiting, stubborn and shy, tae be summoned at his will. No sturdy hill-ponies or the big solid Clydesdales he wis used tae – oh no... Dougal's horses were ferlie creatures o sinew, mane an foam. *'It's called halucination,'* he telt me quietly. His mind honed this vision tae perfection an he spent mony happy hours watching their proud supple beauty on his 'mind-screen'. Time for him ceased tae hae ony significance.

One December aifternoon I wis informed that staff hid found Dougal chilled an speechless, on his favourite bench. Despite attention at Crieff Cottage Hospital his hypothermia wis irreversible – he didnae see mornin. I liked tae think that they hid come for him, his wild white horses, splitting the early morning sky wi their hooves.

Beau Geste and Achilles Tendons

Our bursaries allowed us to hae a place at a fee paying school, Morrison's Academy, so some changes had to be made if we wanted to take up this option. I did but Robert stayed where he was.

Next then, it wis arranged for me tae board in Crieff, in the High Street. Noo this wis indeed a big change for me, a new place tae stay, an obligatory uniform, an buying aw my ain books. I really enjoyed ownin aw they books! The money we hid won by oor bursaries paid fir maist things wi a little pocket money besides! I didnae stay wi the normal boarders in the 'School Hooses', fir them whose parents lived abroad, bit hid a nice family hame tae leeve in wi Mr an Mrs Cuthbert, up three floors in a tenement building. Tom Cuthbert wis a Post Office engineer, an hid met some o my family through his work so that the arrangement wis made fairly painlessly. I couldnae hae found a place that suited me better, though nae langer could I escape tae the little local gairden wi my embroidery. We even shared a loo wi oor neighbours, as the loo on the half-landing wis communal.Oor neighbour across the top landing wis a 'caution' an readily discussed her frailties. The main problem she seemed tae hae wis a 'drooping stomach' an tae this day I hae nivver worked oot exactly what she meant by this.

My landlady Mrs Cuthbert wis a gem, but sadly, suffered frae diabetes, the treatment for which had damaged her sicht. She had a highly developed sense o touch though, so much so that it wis hard tae believe that she had only a vestige o sicht remaining. She would pass ower the Fair Isle jumper which she wis working on an ask me tae put things richt. *'I've put the wrong colour in, Betty, could you pick it back an put me in the licht blue?'*

Or similar requests, which left me full o awe that she could actually feel the colours. Tom, her husband, held darning needles in the flame o a candle an made her fine crochet hooks by pushing the red-hot needles intae a cork tae bend them. She then crocheted the finest work imaginable using a reel o cotton machine thread. This though came tae an end during my stay as her sicht worsened. She did her level best though tae pass on her skills tae me. I did so much but nivver became as proficient as she hid been.

I felt in awe o her family, as ane o them managed a hotel, an had a boy-friend who wis an Air-force officer, an the other dochter wis mairried tae a doctor. This wis aw rather sophisticated in comparison tae my usual rural companions.

The building wis opposite a fish an chip shop run by the lovely Ruiggi family, who became my friends. They were an exuberant, voluble Italian family. Another friend wis Rita, whose dad wis an auctioneer. We walked up the Knock thigither aifter scuil .

However aw wis no plain sailin! Rushing down steps on my way tae the Science Lab ae day I fell an damaged my leg. Hence I wis ta'en tae the doctors' an he said I'd torn my Achilles tendon and he had tae pit me in a 'Stirrup strapping'. This limited my movements , but helped relieve the pain. So in order tae attend scuil I'd tae uise a nibby-stick tae lean on an hirple up the hill tae the Academy. I was gi'en leeve tae pit my leg up on a chair when in classes so that wis OK. The only thing wrang wis that I couldnae cycle hame at the week-end. (So then I could be upsides wi oor neighbour an force her tae listen tae my ailments!) I must hae sent a letter hame tae explain the situation, but cannae mind on this. Howivver cam the followin week-end, an I had tae stey ower in Crieff again, it wis arranged fir me an my pal Rita Gibson tae gae tae the Cinema which wis showin 'Beau Geste'. It wis my first time at a picture show an I wis fair excited. Weel I did enjoy the film but wis disappointed that it didnae mair resemble the picture I'd had in my mind when I'd read P.C.Wren's book. Tears dryin on our cheeks, Rita an I had a lot tae talk aboot efter we cam oot.

I loved Morrison's and became sub-prefect for Drummond House, proudly wearing my beret wi its long green tassel, an sometimes reading the Lesson in the morning.

There is a strange memory I hae frae this time an it seems tae me that it is somehow no aw imagination. If I walked carefully, looking at my feet tae see what they were daein I could mak them push against a 'layer', like a hovercraft. O course I hid nae knowledge o that vehicle then. My feet certainly wernae in contact wi the pavement. Concentration counted. *Don't put your richt foot in front o your left. Push on your richt an slide. Bring up the left. Lean slichtly forward tae keep balance even.* I came tae hae a little acceptance o this like in a dream time, but would never hae dared confide in anyone that I thocht I could levitate. I found it hard tae believe at the time an even harder noo tae write doon, but I felt that I would perhaps come across an explanation if I voiced what his been forgotten, pushed aside, for aw these years.

From scuil here, it wis easy for me tae visit Dad who wis in Perth Infirmary. The rest o the family had long difficult journeys on each visit, whereas noo I just had an hour's bus ride. As soon as Dad made some recovery frae his illness, it became apparent that he couldnae ony langer haud a position as herd, an o course the house went wi the job an so we had tae 'flit' again. My brother took a job where he had a large farmhouse tae live in, an, as he wis unmarried at that time my mum kept hoose for him, which seemed a win, win, for baith pairties. So that wis oor next move.

This time tae Little Glenshee where we had twae horses. Ane wis an auld hunter an I rode bareback whenever I could catch Paddy, mounting frae the nearest dyke.

We were aw glad that my dad could be in the hills wi a spectacular view, as he sat oot o doors in a big armchair whenever possible. When I got settled in tae nursing in Bridge o Earn an managed tae cycle hame on my time off, he telt me that noo we were aw independent, his job wis finished. He went wi as sma fuss as he usually made, promising my Mum a '*pu up the brae when her turn cam*.' Auld Donald who wis a first foot on the 2nd o January (after Pat McNab) every year in my childhood, walked ower twae hills, aboot seventeen miles, tae attend Dad's funeral an would only be driven back the forty six miles by road under protest.

I can look at scars, scrapes, an auld wounds on my hauns as I age an relate them tae my life; see again the activities o the past which hae left their traces; see the licht on Dad's strong hauns which, though calloused an wi the damaged nail, showed their gentle side as he worked wi his flock, his dogs an his bairns. Like the strans o those long-ago ropes, truth an memory intertwine, creating for me a window ontae a vanished world.

Ready or No

So aince again the familiar gaed way tae the strange. The next threshauld wis looming. It wis time tae hang up my satchel. It wis frae Glenshee that I took up my position as a student nurse at Bridge o Earn hospital an so began a new phase o my life. It wis time for me tae leave behind my childhood an the security o kent fowk an places. My freens however had gien me a resoluteness o purpose, a knowledge that aw things were within my grasp. They had gien me, an continue tae gie me, many, many things tae lean on, an I am forever grateful for having had their freenship at the outset o my life.

I had been invited by my Aunt Lisbeth, Mum's auldest sister, an her husband Earl Tobin, tae jine her in Canada , just as I wis aboot tae leave school, but at that time my Dad wis extremely ill an o course I couldnae think o going. Later when Aunt Lisbeth visited us an wanted tae take me back wi her, I had already settled intae my nurse training an wanted tae see that through.

Stories can be telt, added tae an chainged, but we can never get ootside them, or finish them off. Every ending really is just another beginning. So I leave this story unfeenished, crossin the threshhold frae adolescence tae adulthood. Whae kent what doors were opening fir me?

Biography

The Scots I have used is the speech I was familiar with as a lass in rural Perthshire, and come as readily to my pen as my tongue.

Luckily in my school years my teachers did not try to deprive me of it, and left me with my bairn-tongue as one of the tools in my 'kist'.

I find its use necessary in order to portray, more vividly, the variety of characters that peopled my world.

I shall continue to write in it, and hope that in a small way this will help it to remain spoken and enjoyed for its descriptiveness and warmth.